DÉLIRE VIRTUEL
est le cent soixante-dixième livre
publié par Les éditions JCL inc.

Données de catalogage avant publication (Canada)

Bouchard, Marjolaine,

    Délire virtuel

    Comprend des réf. bibliogr.

    Pour les jeunes.

    ISBN 2-89431-170-2

    I. Titre.

PS8553.O774D44 1998   jC843'.54   C98-940875-2

PS9553.)774D44 1998

PZ23.B68De 1998

© Les éditions JCL inc., 1998

Édition originale: août 1998

Première réimpression: juin 1999

DÉLIRE
VIRTUEL

JCL
Jeunesse

© Les éditions JCL inc., 1998
930, rue Jacques-Cartier Est, CHICOUTIMI (Québec) G7H 7K9 Canada
Tél.: (418) 696-0536 – Téléc.: (418) 696-3132 – C. élec.: jcl@saglac.qc.ca
ISBN 2-89431-170-2

MARJOLAINE BOUCHARD

DÉLIRE VIRTUEL

(Delirium virtualis)

LES ÉDITIONS JCL

DE LA MÊME AUTEURE
DANS LA COLLECTION JEUNESSE:

Entre l'arbre et le roc, Chicoutimi, Éd. JCL, 1998, 166 p.

The Canada Council | Le Conseil des Arts
for the arts | du Canada

Nous reconnaissons l'aide financière du gouvernement du Canada par l'entremise du Programme d'Aide au Développement de l'Industrie de l'Édition (PADIÉ) pour nos activités d'édition. Nous bénéficions également du soutien de la SODEC et, enfin, nous tenons à remercier le Conseil des Arts du Canada pour l'aide accordée à notre programme de publication.

À Lucie,
la lumière qui chante
et enchante.

Chapitre 1
Savoyane, racine amère

Trois minutes, dix secondes! Mon record! Je vais sûrement remporter le meilleur pointage de tous les joueurs du réseau. Il ne reste que le dernier circuit à traverser maintenant, celui de la double spirale. Je fais corps avec le véhicule, chaque courbe est une aventure, chaque mouvement est ressenti jusque dans le ventre. Quelle vitesse, quelle griserie! Les réflexes aiguisés, l'œil attentif, les mains lestes sur les manettes de conduite, j'ai le parfait contrôle de mon engin. J'évite les amoncellements de détritus, contourne les piliers d'un pont, traverse un champ de mines sans en toucher une seule, braque à gauche pour déjouer un adversaire, tout cela à 200 km/heure. Encore un tour de piste avant la fin de la course. Je vais y arriver avant tout le monde, il le faut!... À travers le bruit de la course, au-delà de mon casque, j'entends soudain quelqu'un qui m'appelle:

— Savoyane! Viens vite, j'ai besoin de toi.

Pas le temps de répondre, je vais perdre de la vitesse. Attention, un coureur qui veut me percuter! Je m'esquive de justesse.

— SA-VO-YA-NE! Je n'ai plus le temps d'attendre, arrive tout de suite!

Ah non! Elle ne me fera pas encore ce coup-là! Mon temps de jeu n'est pas terminé, je veux gagner cette course. J'en suis à la dernière courbe et mon corps se penche, emporté par la force centrifuge apparente. Quelqu'un m'attrape par la manche. Houp! J'effectue une fausse manœuvre et me voilà dans le décor. Zut!

— ...déjà trois fois que je t'appelle! Ne peux-tu pas me répondre? Il y a urgence au centre Drexler; François et moi devons partir immédiatement. Il faut que tu t'occupes de Circée pendant deux ou trois heures. Arrive tout de suite!

— Demande à Ibéris, c'est son tour.

— Ibéris est dans sa chambre. Il ne faut pas la déranger, elle répète sa musique. Allez, viens!

— Non, je n'ai pas terminé ma séance de jeu, maman! Ce n'est pas juste, tu permets à Ibéris de faire ce qu'elle aime tandis que tu refuses de reconnaître mes goûts pour les jeux virtuels. J'allais gagner, me classer pour les éliminatoires et remporter une heure gratuite. Ça fait si longtemps que je m'entraîne pour réussir ce circuit. C'était une course importante sur le jeu le plus captivant offert par le MIROIR.

— C'est ridicule! Ce n'est qu'un jeu, Savoyane, la vie n'est pas un jeu. Enlève ce casque et descends, s'il te plaît. Je vais te donner les instructions.

Encore une fois, ma mère, Marie-Laurence, m'oblige à quitter la salle de projection et l'activité qui me tient le plus à cœur. Je dois obéir à *ses* directives, à l'organisation de sa vie. Pourquoi ne peut-on pas choisir ses activités, planifier son horaire selon ses goûts quand on a treize ans? Pourquoi ma mère ne respecte-t-elle pas *mes* priorités?

— Appelle les Jardins d'or ou un autre service de garde. Je n'ai pas le goût de m'occuper de Circée. J'ai des choses plus importantes à faire que de jouer avec ses petits bonshommes. Ne peux-tu pas voir que j'ai aussi le droit de vivre ma vie? lui dis-je en quittant à regret le siège hydraulique et les manettes de commande.

— Nous avons tous des obligations, Savoyane, et plus de devoirs que de droits! Maintenant, cesse de discuter, c'est inutile. Les Jardins d'or sont fermés le dimanche et le contact des étrangers traumatiserait Circée... C'est déjà assez compliqué comme ça... Essaie donc de comprendre. Ta petite sœur est bien contente de rester avec toi, elle t'aime, elle!

Comment expliquer à ma mère ma frustration? J'ai l'impression qu'elle me parle uniquement pour demander mon aide ou, pire encore, pour me dire de dégager.

Papa intervient juste à temps et s'adresse à moi avec un ton plus respectueux. Il prend au moins le temps de m'expliquer la source de tant d'émoi.

— On a besoin de nous, chez Drexler, pour aider au projet de mise au point des nanomachines qui font de l'autoréplication. Tu sais, les usines plus petites qu'une tête d'épingle qui produisent des machines semblables à elles-mêmes.

Mais voilà que, parfois, elles échappent à notre contrôle; elles s'emballent et peuvent se reproduire sans fin comme des cellules qui se multiplieraient sans cesse. Ce phénomène pourrait avoir des conséquences très graves. Si on n'intervient pas tout de suite, il y en aura partout dans le laboratoire demain matin. Alors, s'il te plaît, ce n'est que pour un moment, Savo. Nous serons de retour pour le dîner. Tu nous rendrais bien service.

Un simple «s'il te plaît» vient calmer une colère que je ravale en maugréant.

— Bon, d'accord. Je vais m'en occuper, mais à deux conditions: vous lui enlevez sa flûte et vous me remboursez l'heure de jeu que je viens de perdre.

Est-ce par considération pour moi ou pour acheter la paix que ma mère accepte? Impossible de savoir. Papa l'attend déjà près de la porte. Elle part en coup de vent, me donnant les consignes d'usage:

— Ferme la porte à clé derrière moi, tu n'ouvres pas l'ordinateur pendant notre absence, tu joues avec Circée et tu t'occupes d'elle tout le temps. Pas de communication audiovisuelle. Aucune visite... Tu peux nous rejoindre en tout temps sur le cellulaire. Nous reviendrons dans deux ou trois heures.

Deux ou trois heures! C'est interminable! En plus, papa a verrouillé la salle de projection. Comment combler ce temps avec Circée sur les talons?

Je fais le tour de notre appartement, un six pièces et demie au troisième d'un immeuble de dix étages. Six pièces et demie, c'est un grand logement dans notre ville; rares sont ceux qui comptent trois chambres à coucher, aussi rares que les familles de trois enfants. Et comme nous sommes cinq à vivre ici, qui est-ce qui doit partager sa chambre avec le bébé? Savoyane, bien sûr!

Circée me suit donc dans notre chambre. Je m'assois sur le grand lit, le mien, face aux trois miroirs de la coiffeuse dans le coin de la pièce. Ma petite sœur saute sur le sien et les Mickey Mouse imprimés sur l'édredon en sont un peu froissés. Son petit lit est disposé parallèlement au mien, contre le mur de la fenêtre. On a suspendu au plafond ses trois mobiles préférés, on a punaisé sur les murs des affiches illustrant ses héros; sur la commode trônent ses oursons en peluche et, pour comble, l'étagère est remplie de ses bricolages brinquebalants. Cette petite prend trop de place dans ma chambre, dans ma vie. Absorbée par ces sombres pensées, le vague à l'âme me gagne.

Depuis que Circée est au monde, j'ai l'impression que mes parents ne m'aiment plus. Pourtant, à ma naissance, le 22 mai 2035, ils se réjouissaient de leur premier bébé potelé. Ils m'ont raconté maintes fois l'aventure de mon arrivée dans la vie, un soir d'orage, de vent et d'arbres déracinés. Comme je m'empressais de naître, c'est en catastrophe qu'ils tentèrent de se rendre à l'hôpital en auto, moyen de transport qu'ils utilisaient en cas d'extrême urgence seulement. Au bord du boulevard, les arbres semblaient exécuter des danses folles sous les éclairs. Puis, l'un d'eux a été foudroyé et s'est abattu juste sur le capot de la voiture. Il n'y a pas eu trop de casse, mais l'auto était immobilisée. Comme je voulais à tout prix voir le jour, ou plutôt la nuit, sans plus attendre, je suis née là, dans le véhicule. Plus tard, ma mère m'a raconté en rigolant que j'avais été conçue et mise au monde sur la banquette arrière.

Le temps a estompé l'euphorie de cet événement, l'attention de mes parents a été canalisée vers d'autres priorités, d'autres personnes. À croire qu'il n'y a plus de place pour Savoyane Racine dans cette maison! Et si je parle de mes états d'âme, on me répond que je suis en pleine crise d'adolescence.

Contemplant mon reflet dans le miroir, je rumine ma désolation: dire que plusieurs me trouvent belle! Moi, je me vois trop grande, juste un peu trop grasse, avec des cheveux trop blonds, raides comme les dents d'un peigne. En les nouant dans une sempiternelle natte, j'arrive un peu à les oublier. C'est aussi la meilleure façon d'atténuer la rondeur de mon visage.

Et que dire de ce prénom, Savoyane, qui, comme ceux de mes deux autres sœurs, Circée et Ibéris, a été tiré de la liste des plantes indigènes de la province. C'est notre grand-mère

Jeanne qui les a choisis et les a presque imposés à mes parents. Selon Jeanne, le prénom d'une personne s'accole à son caractère et peut même influencer son destin. Mais à quoi a-t-elle bien pu penser, perdue dans ses inspirations végétales? Pour Ibéris, le principe de grand-maman sera peut-être profitable puisque la plante dont elle porte le nom est aussi appelée corbeille d'argent; des fleurs qu'on aime pour la beauté de leurs grappes généreuses. Quant à la fleur de Circée, le lien se fait aussi aisément avec le prénom de notre bébé, puisque «circée» est une petite plante vivace aux inflorescences blanches ou rosées; ce nom est aussi celui d'une magicienne, une enchanteresse dans un conte grec très ancien: notre petite sœur, tout craché!

Mais la savoyane, c'est le nom d'une plante dont les rhizomes[1], jaunes et amers, servent pour la teinture des vêtements. Est-ce que j'avais la jaunisse quand Jeanne m'a vue pour la première fois à la pouponnière? Est-ce pour qu'on me remarque qu'elle m'a appelée de la sorte? En revanche, elle m'a laissé un autre héritage, plus apprécié celui-là: le bleu de ses yeux, une mer sombre.

Circée dépose à mes pieds les huit figurines fabriquées par une compagnie fondée au siècle

---

1. *Tige souterraine des plantes vivaces qui portent des racines et des tiges feuillées.*

dernier: Walt Disney Productions. Grand-mère Jeanne lui en a fait cadeau à son anniversaire. Ma sœur s'assoit en Indien sur le plancher et tire par petits coups le bas de mon pantalon vert. J'ai tôt fait de comprendre qu'elle m'invite à prendre part au jeu. Catastrophe! Ma petite sœur veut encore jouer avec ses bonshommes! Je fais non de la tête.

Circée s'agite à mes pieds. Je ne lui parle pas, c'est peine perdue. Je me contente de lui faire des gestes qu'elle comprend très bien. Pour ses trois ans, elle saisit quand même beaucoup de subtilités. Comme on n'a accès ni à la salle de projection ni aux jeux vidéo, je consens à jouer avec ses personnages.

Sur le sol, elle anime les figurines. Ses mains gracieuses s'expriment dans une danse que moi seule arrive à comprendre complètement. Parfois, lorsque nous sommes toutes les deux, quelques sons gutturaux traversent ses lèvres, mais en général elle se tait.

Si elle voulait donc jouer toute seule, je pourrais terminer en paix le croquis de la Ville aux Mille Tours, l'un des tableaux requis pour la conception de mon nouveau jeu vidéo. J'aurais moins l'impression de perdre mon temps et... j'apprécierais ma jeune sœur davantage.

Le jeu commence. Le scénario, tout en mouvement, est semblable au scénario de la veille, de l'avant-veille, de la semaine dernière: un bébé se fait enlever par des méchants, ses parents pleurent en le cherchant partout. À la fin de l'histoire, ils retrouvent le bébé et tout le monde est heureux. Habituellement, Circée sort de sa poche sa flûte sopranino et se met à souffler dedans en dansant sur un air cacophonique.

Heureusement, aujourd'hui, j'ai eu la brillante idée de demander à maman de confisquer cet instrument. J'aurai au moins la paix sonore, un minimum.

Sitôt notre théâtre terminé, Circée court dans la cuisine et revient, flûte au bec, soufflant des notes aiguës pour que je fasse danser les figurines. Ah non! Maman n'a pas tenu parole! Exaspérée, je lui arrache la flûte des mains et Circée se met à gémir doucement. Quand maman n'est pas là, j'apprends à ma petite sœur une autre loi: la mienne. Je la laisse seule dans la chambre et ferme la porte. Dans une dizaine de minutes, elle viendra se faire pardonner en se glissant, à la manière d'un petit chat, contre mes jambes. Ensuite, elle acceptera de jouer toute seule. D'ailleurs, je me demande bien pourquoi elle tient tant à ce que je m'amuse avec elle. Pourquoi est-elle si affectueuse avec moi? Pourquoi me suit-elle partout?

Me voilà enfin tranquille, dans la salle à manger, penchée sur une tablette à dessin où je poursuis une grande aventure quand l'accès à l'ordinateur m'est interdit: la conception des personnages et de l'environnement du plus beau jeu qui verra le jour: mon évasion, mon rêve, mon univers. Ibéris m'a promis de composer la musique pour créer un fond sonore qui donnera des frissons.

Midi. Maman et papa ne sont pas encore revenus. Je n'entends plus les arpèges et les gammes d'Ibéris; elle s'est probablement endormie. Quant à moi, la langue collée à la lèvre supérieure, par de savants jeux d'ombres, je m'applique à donner du relief au dessin de ma ville. Je pense soudain à Circée que j'avais presque oubliée. La porte de la chambre ne s'est pas ouverte depuis que je l'y ai laissée. À pas feutrés, je glisse vers la pièce en évitant toutes vibrations sur le plancher. Par l'entrebâillement de la porte, j'observe l'enfant dans sa bulle de silence. Elle est étendue par terre, à plat ventre, et balance un pied. Sa tête, tournée vers le mur opposé à la porte, bouge au même rythme que le pied. Je ne vois que le mouvement blond de la nuque sans apercevoir les yeux. Intriguée, je m'approche et la soulève doucement. Sous elle, les notes graciles s'égrènent d'une poupée musicale. À mon grand étonnement, je découvre qu'en se couchant sur la poupée, Circée perçoit les vibrations de la musique.

Il me vient alors une idée. Je m'agenouille en face d'elle et place sa main, bien à plat, sur ma gorge. En désignant la poupée, je dis à Circée, à voix haute: «Est-ce que tu aimes la musique?» En souriant, elle hoche la tête. On dirait qu'elle a compris.

Puis surgissent en moi des sentiments confus de pitié, de jalousie et d'amour. J'ai envie de la serrer contre moi, très fort. Est-ce pour me réconforter moi-même ou pour lui montrer que je l'aime? À peine ai-je amorcé le mouvement d'attraction que maman-tempête surgit dans la pièce. Elle remarque tout de suite ce qui m'avait échappé: Circée a des larmes séchées sur les joues.

— Qu'est-ce que tu lui as fait? Pourquoi a-t-elle pleuré?

— Maman, j'essayais de communiquer avec Circée. J'ai trouvé une façon, on dirait qu'elle m'a «entendue».

— Ne me raconte pas d'histoires. À voir l'état de la table de la cuisine, je parie que tu as dessiné tout l'avant-midi et que tu as enfermé Circée dans votre chambre... et là, tu fais semblant de la consoler juste à mon retour.

Elle se tourne ensuite vers la petite:

— Pauvre chérie, viens dans mes bras, maman est revenue.

Circée, surexcitée, lui saute dans les bras. Je sais pourquoi elle démontre autant de joie, c'est parce qu'elle a enfin saisi ma communication vocale, mais elle ne peut pas la lui expliquer.

Et se retournant vers moi, ma mère me glace de ses yeux de braise.

— Savoyane, tu ne penses qu'à toi et à l'informatique!

Cette phrase vient éteindre tout intérêt à la discussion. Je vais me reprendre demain. Présentement, maman est trop en colère contre moi.

Après les exploits de mes parents au centre Drexler et un dîner vite avalé, c'est l'heure des courses. De son côté, papa se rend dans une clinique pour faire réparer l'ordinateur de bord de la voiture. Maman, quant à elle, décide d'emmener ses trois filles au centre commercial. Sur les lieux, elle nous donne ses recommandations:

— Ne vous éloignez pas trop! Circée restera avec moi. Si jamais on se perd de vue, on se donne rendez-vous à la sortie du mail principal à 15 heures 30.

— Ne t'inquiète pas, nous ne serons pas loin. Si tu as besoin de nous, tu nous trouveras au comptoir d'équipements électroniques, lui répond Ibéris.

Au supermarché, Circée refuse de s'asseoir dans le compartiment du panier d'épicerie, alors maman y dépose ses gants et serre la petite main dans la sienne pour ne pas perdre sa protégée. Je les regarde s'éloigner: maman, l'air inquiet, encore préoccupée sans doute par les problèmes chez Drexler, et Circée, tout sourire, dans un perpétuel émerveillement. Elle essaie en vain de tirer maman par la manche pour l'entraîner vers les cabines de jeux virtuels.

Ibéris me saisit le bras et on court au département de l'électronique. Elle s'installe à un clavier numérique, sélectionne des options d'effets musicaux et place gracieusement les mains sur les touches.

— C'est un clavier comme celui-là que je voudrais... Écoute bien cette pièce, c'est pour le passage de la Ville aux Mille Tours dans ton jeu. Je pense que tu vas être contente.

Elle me regarde avec un sourire complice. Sur un rythme de valse, la musique s'élève d'abord en douceur, puis on sent la gradation, l'amplitude des accords, les harmoniques. Quand Ibéris joue, les poils m'en dressent sur les bras. Que c'est beau! Si beau que des inconnus s'approchent et forment un cercle de plus en plus dense autour de nous. Un étranger me demande:

— Est-ce que tu la connais?

Je lui réponds avec une fierté non dissimulée.

— C'est ma sœur, elle a appris toute seule... elle n'a que onze ans...

Je n'ai pas le temps de terminer la phrase qu'un cri de désespoir retentit. C'est la voix de maman!

— OH NON! Je l'ai perdue!

On accourt. Des gens s'attroupent autour de maman, qui, affolée, s'élance à travers les rayons du magasin. Elle répète qu'elle a perdu Circée des yeux pendant une fraction de seconde, le temps de se pencher pour ramasser un gant tombé. Lorsqu'elle a relevé la tête, Circée avait disparu. L'enfer! Maman crie presque à s'en fendre le larynx. Ibéris et moi cherchons avec elle, on prend chacune une direction; clients et commis se mettent de la partie. Dans sa course folle, j'entends maman qui pleure:

— Cela ne peut pas nous arriver; Jeanne disait toujours qu'une bonne fée veillait sur notre famille. C'est ma faute... Je n'aurais pas dû lâcher sa main... Je ne me pardonnerai jamais. Les trafiquants d'organes l'ont enlevée!

Dix minutes plus tard, je retrouve notre Circée, assise confortablement dans la cabine d'un jeu virtuel, casque vidéo 3D sur la tête et manette à la main, contemplant les jeux de lumière du démo. Avec un grand sourire, elle me montre du doigt les vaisseaux qui tournoient sur la fenêtre à hologrammes. Je saisis sa main et la pose sur ma gorge:

— Circée, c'est vilain ce que tu as fait. Il faut rester avec maman. Tu ne dois plus te sauver. On a eu très peur!

Elle fait une moue charmante, en penchant la tête, comme pour dire qu'elle est désolée, mais qu'elle ne regrette rien. Ibéris, qui pense comme moi, me fait un clin d'œil.

Maman a persisté à croire que des ravisseurs avaient d'abord enlevé son bébé puis, comme ils auraient été surpris en flagrant délit, ils auraient abandonné l'enfant dans la cabine. Moi, je crois que Circée a tout simplement voulu essayer une sensation virtuelle, se rendant d'elle-même dans l'habitacle. Maman n'a jamais accepté ma version.

Chapitre 2
Les touches du savoir

Le lendemain matin, dès que Circée s'éveille, elle va rejoindre maman qui lui ouvre son lit et ses bras. Elles font une période de chatouilles puis elles se lèvent toutes les deux pour aller déjeuner. Je les rejoins dans la cuisine. Maman prépare du gruau, des croissants et du chocolat chaud pour Circée. Mademoiselle n'a pas beaucoup faim. Elle mange à peine le gruau et ne touche pas au croissant. Sans rien manifester, maman jette les restes à la poubelle. Elle lui fait ensuite toutes sortes de gestes avec ses mains. Elle a sans doute appris un nouveau langage pour les sourds et essaie de l'apprendre à Circée qui la regarde avec circonspection. Ce nouveau langage la déconcerte, elle ne comprend pas ce que maman tente de lui dire. J'observe leur manège tout en finissant d'avaler mes céréales. Je dépose le bol sur le comptoir et laisse tomber cette remarque:

— Maman, en cinq mois, tu as essayé de lui apprendre trois langages différents. Circée est toute mêlée maintenant! Je pense avoir trouvé un moyen bien plus simple. Circée étant très sensible aux vibrations, il suffit de...

Elle m'interrompt, agacée.

— Voyons, tu ne peux tout de même pas prétendre être meilleure que les spécialistes modernes. Le nouvel orthophoniste que j'ai consulté m'a affirmé que ce nouveau langage était plus efficace étant donné l'âge de Circée. Si cela ne fonctionne pas, il nous conseille l'utilisation d'un ordinateur spécial... Et puis, je sais ce que j'ai à faire!

Elle baisse les yeux sur mon bol de céréales et me réprimande:

— Franchement, Savo, il reste du lait dans ton bol. C'est du gaspillage! Bois-le! On voit bien que ce n'est pas toi qui paies l'épicerie. Et puis, ces céréales sont trop sucrées pour toi, fais attention, tu n'arrêtes pas d'engraisser!

Je retiens de justesse ma réplique: «Ouais! Et heureusement que ce n'est pas Circée qui paie la note d'épicerie non plus!» Il est préférable de ne pas envenimer la conversation. Alors, je réponds sur un ton plus poli.

— Excuse-moi, maman... Voilà, j'ai tout bu.

M'en veut-elle encore pour hier? Il ne faut pas la décevoir aujourd'hui car j'aimerais discuter avec elle de mon nouveau projet.

Maman s'installe pour coiffer Circée, boucle par boucle. Voilà le meilleur moment pour lui parler.

— Maman, je suis maintenant inscrite sur la liste des cinq finalistes pour une compétition finale sur le MIROIR: la fameuse course 3,1416, mais je n'ai plus de temps dans ma banque pour l'entraînement. Peux-tu m'avancer l'argent pour payer cinq heures supplémentaires?

— Han! Han! Si tu fais la lessive le dimanche, je te donnerai un petit salaire qui pourra
t'aider...

Ouf! Elle semble bien disposée à mon égard.
Sa réponse me ragaillardit:

— Tu devrais voir ça, maman, c'est une nou-
veauté sur le marché des jeux virtuels. Dans la
dernière course que j'ai remportée, il y avait une
série de virages en épingle à cheveux, puis une
fontaine en plein milieu de la piste. Le truc,
c'était de passer en plein milieu de la fontaine,
ce que mes adversaires n'osaient même pas essayer et c'est comme ça que j'ai gagné!

Maman reste distraite, l'esprit ailleurs. Elle
fait semblant d'écouter. Mes activités et mes
aspirations sont les derniers de ses soucis; je
crois que je ne l'intéresse tout simplement pas.
Elle roule les petites boucles blondes sur ses
doigts. Je change alors de sujet:

— Maman, ils sont beaux, n'est-ce pas, les
cheveux de Circée.

— Si ce n'était du travail qui m'attend, je les
coifferais toute la journée... Heureusement que
tu as retrouvé notre petite, hier, au supermarché. Je ne m'en serais jamais remise. Tu es sa
bonne fée...

Il est vrai que Circée ne manque pas de
charme: elle a un visage de Cupidon, des joues
pommées, un nez retroussé, du rire plein ses
yeux chocolat, des boucles dorées qui dansent
autour d'une frimousse de soleil. Dès qu'ils l'aper-

çoivent, les gens ne peuvent s'empêcher de passer la main dans ses cheveux si doux que certains y enfouissent même le nez: ça sent le caramel! Parfois, je succombe aussi à la tentation.

On l'embrasse trop pour ne pas la mordre, on la caresse pour adoucir les mauvaises humeurs... Une pirouette, deux bonds, quelques notes de musique sur sa flûte, quand Circée entre dans une pièce, les gens arrêtent de respirer. Elle rit, donne des bises aux personnes qui l'encouragent, les câlins n'en finissent plus... Tout le monde l'aime et lui accorde beaucoup d'attention. «Elle est tellement belle qu'on la volerait!» dit-on souvent.

À 8 h 30, papa et maman se rendent à leur travail. Sur leur itinéraire, ils déposent Circée aux Jardins d'or, une garderie tenue par des personnes âgées.

Dans une demi-heure, Ibéris et moi devrons nous installer dans la salle de projection pour suivre nos cours. J'aime bien les nouveaux cours secondaires élaborés par les Touches du Savoir, l'organisme qui s'occupe maintenant de l'éducation informatisée des jeunes. Il suffit de se brancher sur le réseau MIROIR (Multimédia interréseau officiel de l'informatique radiculaire), via le service international d'informatique, pour accéder aux Touches du Savoir et le tour est joué moyennant, bien sûr, les faramineux frais d'abonnement annuels de 8 000 $.

Enfin, en avant de la pièce, l'image holographique du professeur du cours «Démographie et société» se définit graduellement. Il s'apprête à prendre les présences et Ibéris est encore en retard. Vite, je retire mon casque virtuel et cours dans sa chambre. Je trouve ma sœur bien réveillée, absorbée devant son ordinateur.

— Aïe! Arrive, Bouboule, le cours est commencé! Tu vas être pénalisée si tu manques encore!

J'aime bien l'appeler «Bouboule», surtout qu'elle est maigre comme un clou. Pauvre Ibéris! La lune en personne! Ses frêles épaules sursautent à mon appel, provoquant la montée d'une onde de lumière dans la longue chevelure sombre. Elle regarde sa montre, fronce les sourcils et frotte le dessus de son nez pour défaire les plis incrustés par trop de concentration. Navrée d'avoir oublié l'heure, elle s'empresse de remettre en place une manette de commande sur la tablette du vieil ordinateur que notre grand-père lui a donné. Drôle de cadeau, un appareil des années 1990. Malgré tout, Ibéris semble fascinée par le jeu qui y est intégré. Elle y consacre une heure quotidiennement, la durée permise par le logiciel. Ce jeu lui vient de grand-maman Jeanne: un disque compact sur lequel on peut lire une inscription en lettrines dorées: FATA CREDO. C'est sans doute le nom d'une ville ou d'un pays.

Lorsqu'elle lui avait remis le CD-Rom, je me souviens que grand-maman avait fait ces remarques: «Je crois que ce jeu correspond à tes goûts, particulièrement par sa dimension musicale. Il n'en existe pas de semblable sur le marché, ni sur le MIROIR. Les appareils actuels ne peuvent même plus lire le contenu de ce disque, c'est pourquoi il te faut ce vieil ordinateur. Tu verras, il s'agit d'une grande quête où l'on exerce non seulement l'adresse, la vitesse et les réflexes, mais aussi le jugement, la logique et la déduction.»

Peut-être les effets musicaux ont-ils rejoint le côté artiste de ma sœur, ou bien les personnages issus de quelque mythologie l'attirent-ils davantage et gagnent son esprit rêveur, ou encore ce thème intéresse-t-il particulièrement les jeunes de onze ans? Quelle que soit la raison, Ibéris a mordu à cette quête.

Ma sœur éteint l'appareil et me suit dans la salle de projection où le professeur, un grand et séduisant personnage, débute une présentation. Dans un espace virtuel en trois dimensions, son image holographique et celle des participants, avec qui des interactions sont possibles, s'animent. La voix chaude du professeur capte tout de suite mon attention.

— Voyons le résumé de la semaine dernière: on se souvient que depuis 2020, le Québec a connu une série importante de remaniements sociaux, politiques et économiques.

«Entre autres modifications, il y a eu la disparition de plusieurs ministères dont celui de l'éducation: plus de commissions scolaires, plus d'écoles, plus de cours donnés dans ce que l'on appelait les classes.

«(...) Voyons maintenant l'évolution de la courbe démographique. Avec les progrès de la médecine, l'espérance de vie ne cesse d'augmenter depuis la découverte de médicaments efficaces dans le traitement du cancer et du SIDA. D'une part, notre société est parmi les plus vieillissantes au monde, d'autre part, les naissances sont limitées depuis plusieurs années. Comparons les graphiques des pyramides d'âge de 1948 et de 2048. Voyez: en cent ans, le triangle s'est inversé, la pyramide a le sommet par en bas! Il y a, de nos jours, beaucoup plus de personnes âgées et moins de jeunes... Ces derniers sentent leur place limitée à celle d'une minorité exclue et sans pouvoir. Cette situation entraîne des conflits et de nombreux débats sur l'équité entre générations. (...) La structure sociale en a été modifiée: les loisirs, le tourisme, les hôpitaux, les édifices, les villes même sont maintenant conçus pour les personnes âgées. Nous n'avons qu'à penser aux centres commerciaux qui occupent maintenant le rez-de-chaussée des tours d'habitation des retraités ainsi qu'au réseau de garderies géré par les aînés...

«Alors, la discussion de la semaine portera sur le thème suivant: *Où voyez-vous la place et le rôle des adolescents dans la société d'aujourd'hui?*»

Moi, j'ai déjà ma réponse toute prête, mais de

peur de déplaire au beau professeur, je garde mon microphone fermé. J'expose quand même ma réflexion et Ibéris sera la seule à l'entendre:

— C'est simple: la société se divise en quatre groupes: d'un côté, il y a les nombreux retraités qui voyagent, dansent, jouent aux cartes et s'adonnent à des jeux de société, participent à des rencontres et thérapies de groupe, en présence effective ou par leur méga-réseau informatique; de l'autre, il y a les jeunes adultes et les parents qui travaillent tout le temps, s'occupent de leurs enfants et de leurs vieux; ensuite, on a les enfants-rois, les dix ans et moins, pour lesquels on construit un univers de jouets, de parcs d'attractions et de camps de vacances. Finalement, il reste les adolescents qui essaient de se trouver un coin dans ce monde. Je vais te dire où je me sens bien dans cette toile: dans la salle de projection, lorsque je coiffe un casque virtuel, des lunettes 3D et des écouteurs dolby-stéréo et que je m'isole devant l'écran géant pour partir à l'aventure. Comme ça, je ne dérange personne. Elle est peut-être là, la seule place des adolescents: dans un monde parallèle, l'espace virtuel. Qu'en penses-tu?

Ibéris a les yeux fixés sur l'image du prof, encore dans la lune.

— Ohé! Bouboule! Il y a quelqu'un là-dedans? lui dis-je en cognant doucement sur son casque. Il est pas mal, hein, le prof de démog?

Elle secoue la tête pour chasser la poussière de ses pensées.

— Ah? Peut-être. Je n'ai pas vraiment remarqué...

— Mais, à quoi pensais-tu?

Elle porte la main à son front, fronce les sourcils, plisse le nez, gestes singuliers chez elle. Finalement, le visage crispé, elle entrouvre les lèvres et soupire:

— Ah! C'est trop compliqué, ce cours, je n'y comprends rien. Je préférais penser au tableau *Chez Dame Holle*. Je n'arrive pas à trouver une solution pour le traverser... Tu sais, le jeu que grand-maman m'a donné... Même si c'est de l'informatique d'une ancienne génération, je te jure qu'il faut de bons nerfs et énormément de patience pour réussir les épreuves. Ça me hante même la nuit. Savo, toi qui es si douée pour les jeux virtuels, voudrais-tu m'aider?

— Ce jeu ne m'attire pas vraiment... trop désuet... Sur le petit écran, on ne peut pas prendre part à l'action. Pour moi, c'est un retour en arrière.

⁂

Le dimanche suivant, papa m'accorde le plus grand privilège qui soit: grâce à ses connaissances en programmation, il m'apprend à créer des personnages virtuels. Cédant à mes nombreuses supplications, il a réussi à me procurer la copie d'un programme de conception et de simulation qu'on utilise au centre Drexler. Ce programme, le fameux *Image-anima*, permet, à partir de capteurs magnétiques branchés un peu partout sur un corps humain, de reproduire des mouvements qui s'enregistrent à mesure sur le support laser de l'ordinateur. Ils peuvent être ensuite transmis à un être virtuel tridimensionnel. J'ai créé un personnage virtuel à mon image, une Savoyane Racine dans une autre dimension de l'univers, un clone avec mes goûts, mes qualités et mes quelques défauts!

Grâce au casque virtuel, je peux voir l'image holographique de ce moi électronique évoluant dans un monde où les lois de la gravité, du temps et de l'espace n'existent pas. Le pays des sansâge, un pays dans lequel les lois naturelles ne régissent plus l'objet, où les valeurs matérialistes s'effondrent: un univers où l'inconnu commence...

On appelle *avatar* cet être virtuel d'un autre espace-temps, à qui on a l'impression de donner un souffle de vie artificielle. Je peux même doter cet avatar d'une mémoire: il peut alors faire des expérimentations, des déductions, des choix et des apprentissages à partir de ses erreurs. Papa m'explique que les avatars pourraient même, à la rigueur, être reproduits dans le secteur nanocellulaire de son usine.

Des nanomachines, des unités de fabrication travaillant dans l'infiniment petit, sont en mesure de gérer la matière atome par atome, dans des conditions de vide parfait créées par les canons-tunnels. Je n'arrive pas à m'imaginer un élément mesurant un nanomètre, c'est-à-dire 0,000000001 mètre, autrement dit, de la taille d'un millième d'une tête d'épingle environ. À partir des données informatiques, on peut re-créer la matière à l'image fidèle de l'original, refaire la chaîne d'ADN, le noyau cellulaire, la cellule entière. Théoriquement, on pourrait même induire la vie aux êtres nés de cette nouvelle technologie, mais, par volonté politique, les re-cherches en robotique et en cybernétique[2] ont été interdites depuis plusieurs années. J'imagine parfois les catastrophes qu'auraient pu en-gendrer les résultats de ces recherches: imagi-nez un ensemble d'avatars matérialisés, organi-sés, avec une intelligence capable de dompter le MIROIR et le cyberespace... Ils pourraient devenir les maîtres du monde! Je tremble rien que d'y penser.

Heureusement, le centre Drexler a orienté ses recherches vers la guérison au niveau cellu-laire et la lutte contre les bactéries, microbes et virus. Les progrès vont bon train. Mon père, François, y travaille comme informaticien spé-cialisé en nanotechnologie, ma mère comme mi-crobiologiste.

---

2. *Science constituée par l'ensemble des théories relatives au contrôle, à la régulation et à la communication chez les êtres vivants et dans les machines.*

L'apprentissage de l'animation par *Image-anima* est une épreuve de patience. J'ai passé des heures à programmer la séquence d'instructions juste pour apprendre à mon avatar comment se relever lorsqu'il tombait. Maintenant, il peut non seulement reconnaître les situations dangereuses, mais il prend les bonnes décisions pour assurer sa survie, reconnaître le bon chemin à suivre, traverser les épreuves sans que j'aie besoin de penser à sa place. Génial! Il devient autonome. Lorsqu'il parviendra à maîtriser ses déplacements parfaitement, je pourrai enfin l'intégrer dans l'environnement du nouveau logiciel de jeu que j'ai conçu, mais ce ne sera pas demain la veille!

La notion du temps m'échappe si bien qu'à 13 heures, j'entends à peine la sonnerie de la porte d'entrée. Mes grands-parents, Jeanne et Thomas, arrivent pour passer le reste de la journée avec nous. Jeanne apporte trois bouquets de freesias en pot: des roses pour Circée, des blancs pour Ibéris et des jaunes pour moi. En débarrassant ma grand-mère, je capte l'agréable parfum des fleurs vives.

— Hum! Ça sent bon!

— Ce sont les plus belles fleurs de mes serres, pour les plus belles petites-filles de mon cœur! dit Jeanne en me serrant dans ses bras.

Thomas, papa et maman s'installent à la cuisine pour prendre une tisane. On commente les dernières nouvelles. Grand-papa, découragé, annonce celle qu'il a entendue dans le TGV[3], il y a quelques minutes.

— Imaginez-vous donc qu'il y a encore deux jeunes enfants qui ont été enlevés ce matin dans un centre commercial. On soupçonne le réseau des trafiquants d'organes... C'est épouvantable!

— Ah! Ces enlèvements! lui répond papa, révolté. Il y en a partout dans le monde maintenant! Nous pourrions, chez Drexler, éviter tout ce carnage. Si nous pouvions encore générer les tissus à partir de fœtus humains ou de tissus animaux, il nous serait possible de fabriquer de nouveaux organes sains, vifs et disponibles pour répondre à la demande grandissante... et ce maudit trafic n'aurait plus sa raison d'être. Et savez-vous quel est le plus grand handicap? La loi! Ce qui nous limite le plus maintenant, ce n'est pas notre manque de connaissances ou de moyens, mais les décisions des comités de bioéthique, des commissions de protection des droits du fœtus et la Société de protection des droits des animaux... Il paraît que c'est immoral de maintenir en vie des organes indépendants, des individus sans tête ou des animaux dont les organes et tissus peuvent servir à sauver d'autres vies humaines. Pendant ce temps-là, on continue d'assister à des enlèvements d'enfants! Est-ce que c'est moral de laisser faire ce trafic répugnant? En atten-

---

3. Train à grande vitesse.

dant, pour réduire les risques, il faut s'encabaner chez soi et faire installer des systèmes de sécurité dans nos logements.

Ibéris, plus ou moins intéressée à la discussion, réussit, en catimini, à entraîner grand-maman dans sa chambre. Circée les accompagne. Ibéris veut sûrement soutirer à Jeanne des trucs pour réussir le tableau *Chez Dame Holle*. Ma mère a compris le stratagème et intervient.

— Maman, je t'en prie, reste avec nous, si tu la suis, vous en aurez pour l'après-midi et nous n'aurons pas le temps d'échanger une parole. Ib et Savo se préoccupent trop de jeux virtuels. Ça peut devenir inquiétant pour leur santé!

— Ne t'en fais pas, Marie-Laurence, ce jeu n'est pas dangereux. Il a été l'une des belles distractions de mon adolescence. C'est moi qui l'ai créé. J'y ai passé des heures et regarde-moi... j'ai survécu! Évidemment, tout est question de modération et de mesure. À raison d'une heure par jour, il n'y a pas de danger puisque le logiciel s'arrête automatiquement après ce délai.

Elle pose affectueusement la main sur l'épaule de maman et la rassure en disant:

— N'aie crainte, je reviens dans cinq minutes.

Curieuse de voir la tournure des événements, je les suis dans la chambre. Je ne voudrais pas perdre une minute de la compagnie de ma grand-mère; je la vois si rarement en personne.

— Ah! Ma belle Savoyane, tes cheveux ont

encore poussé! Avec ta tresse blonde comme de la tire, tu me rappelles la belle Raiponce, cette princesse prisonnière d'une haute tour sans porte qui déroulait sa longue chevelure pour y faire grimper son prétendant. Connais-tu ce vieux conte?

— Non, mais j'espère que son prétendant n'était pas trop gros parce qu'elle devait avoir bien mal à la tête, ta princesse!

Jeanne pouffe de rire puis, pendant que nous nous installons dans la chambre d'Ibéris, elle nous raconte la suite de l'aventure de cette princesse au nom bizarre.

— Raiponce! Tu parles d'un nom! ne puis-je m'empêcher de remarquer.

— C'est une sorte de plante que l'on sert en salade. Sa mère en mangeait tout le temps lorsqu'elle était enceinte. Alors, elle a appelé son bébé Raiponce! Ça me rappelle... Ma mère m'a raconté que lors de sa grossesse, elle mangeait toujours de la soupe aux champignons sauvages: des marasmes des oréades[4]. Elle a failli me nommer «Oréade»... Les oréades sont les nymphes protectrices des forêts, une sorte de fées... Mais finalement, votre arrière-grand-mère a opté pour Jeanne qu'elle trouvait plus doux. Cela ne m'a pas empêché d'avoir le pouce vert et d'aimer beaucoup les plantes.

_____

4. *Pour plus de renseignements, voir :* Entre l'arbre et le roc.

Jeanne et Thomas prennent souvent le temps de nous parler et de nous raconter, comme ça, des histoires, leurs souvenirs. Je les aime tant.

Ibéris ignore la chance qu'elle a de bénéficier d'une chambre à elle seule. En plus de son lit, du chiffonnier et d'une chaîne stéréo, elle a assez d'espace pour y installer son clavier électronique et une table de travail. Grâce à ses talents artistiques, elle a su décorer la pièce avec sobriété et harmonie. Elle a peint des oiseaux sur la porte de sa garde-robe et confectionné des rideaux de dentelles pour habiller la fenêtre. Au mur, elle a accroché de superbes broderies de paysages champêtres où paissent des chevaux ailés, volent des femmes-papillons et courent des centaures. Il y a aussi un bouquet de fleurs séchées dans un pot de céramique peint, lui aussi, de sa main.

Malgré l'ambiance enveloppante et douce, cette pièce provoque toujours chez moi un double choc: le premier, c'est la vue de ce monstre informatique que grand-papa Thomas a installé pour Ibéris. Je crois bien qu'il a dû le récupérer dans son grenier. Un vieux PC de la fin du siècle dernier, comportant au moins neuf éléments: un écran à tube, une grosse boîte à trois unités de lecture, un clavier, une souris, un tapis, un appuie-paume, des colonnes de son haute fidélité, une manette de jeu et une imposante imprimante à deux plateaux!... Ouf! Ça en fait du matériel pour le peu que l'appareil est en mesure de faire, sans compter la pieuvre de fils électriques vêtue d'un manteau de poussière!

Enfin, tout ce bataclan permet à Ibéris de s'exercer à un jeu de quête avec de la musique, comme elle les aime et... gratuitement par-dessus le marché!

L'autre choc, c'est quand je sors de la chambre, la seule pièce du logement dont le plancher est recouvert de tapis. Comme j'ai la mauvaise habitude de marcher en traînant les pieds, la friction sur la fibre synthétique me fait prendre un choc électrique chaque fois que je touche la poignée de porte.

— J'aime beaucoup la musique des instruments anciens, les couleurs, la conception de l'animation et surtout l'histoire du jeu, confie Ibéris à Jeanne. On dirait un beau livre comme ceux de la bibliothèque de grand-papa. Les tableaux d'introduction ne m'ont pas causé trop de difficultés, mais là, je suis bloquée dans la maison de Dame Holle. Je ne sais pas quoi faire pour en sortir et je suis en train de me décourager. Le jeu est peut-être défectueux, remarque Ibéris.

Jeanne tient le disque qu'elle manipule avec précaution, le regarde avec nostalgie. Elle soupire et nous explique:

— Ah! Ce jeu... c'était comme mon bébé! Je l'ai conçu vers l'an 2000, alors que j'avais ton âge, Savo. À cette époque, la magie, la féerie flottaient partout dans ma vie; pour moi, même les chauves-souris étaient des fées. Alors, m'inspirant de la littérature elfique, j'ai fait renaître, dans le monde informatique, les personnages des vieux contes et légendes, ces personnages résultant de l'imagination et des plus vieilles émotions humaines: la peur, la colère, l'angoisse, la joie, le regret, l'amour, la peine. Les muses qui ont inspiré les poètes et les troubadours à travers l'histoire étaient de leur cohorte. Ces personnages sont dans toutes les mythologies et constituent même des éléments de base des anciennes philosophies.

«Si vous vous attardez à leur description dans le jeu, vous constaterez qu'ils sont tous issus d'une nomenclature décrite dans la littérature ancienne. Par mes recherches, j'ai appris qu'ils ont d'abord pris naissance dans les croyances populaires. Après tout, si ces êtres ont été engendrés par l'esprit humain, c'est qu'on avait tous les motifs pour justifier leur existence. Ils incarnent les angoisses aussi bien que les rêves, et habitent la mémoire... il faut bien croire à quelque chose, alors pourquoi pas à un monde d'êtres fantastiques? Ils viennent expliquer l'inexplicable.

«De nombreuses légendes à leur sujet auraient parcouru les âges et les cultures. Il fut une époque où l'on croyait fermement à ces légendes. Les personnes sensibles, rêveuses, artistes, passionnées, les enfants et les femmes enceintes les auraient aperçus, parfois. Avec les générations et l'évolution scientifique et technologique, ces âmes-idées ont été graduellement reléguées à l'oubli, à une sorte de mort. En fait, l'esprit rationnel du monde moderne les a anéanties. J'ai cru, à tort, immortaliser ces êtres sur un CD-Rom, pour qu'on joue encore avec eux tout simplement, mais le monde informatique est si éphémère, tout évolue si vite...

— Tu as inventé toi-même le jeu, alors, tu en connais toutes les passes par cœur! Tu vas pouvoir m'aider...

Elle donne d'abord à Ibéris des explications plutôt abstraites:

— Il y a une solution dans tous les tableaux... mais je ne peux pas te les dévoiler: pour apprendre, tu dois accomplir seule la quête et te rendre jusqu'au but. Quoi qu'il arrive, tu dois résoudre toi-même les énigmes, trouver les solutions; ton seul pouvoir, c'est de choisir. On a toujours le choix dans FATA CREDO... Mais souvent, il faut penser autrement... Je ne peux t'en dire plus. Ce serait tricher.

«Tu as déjà réussi les trois tableaux de l'introduction... C'est très bien. Pour la suite, il faut de la détermination... Le pire échec, c'est le découragement; la plus grande erreur, l'abandon. Et si jamais tu veux abandonner, n'oublie pas cette petite phrase, celle que j'ai tant répétée et qui m'a redonné courage dans bien des circonstances de la vie: *Commence, continue, termine.* Je connais ta ténacité, tu vas y arriver! Par contre, le plus important, c'est que tu t'amuses avec ces fameux personnages...»

Ibéris n'est pas réjouie. Depuis une semaine, elle stagne dans le tableau *Chez Dame Holle*, le quatrième d'une série de quatorze tableaux.

Grand-maman l'embrasse sur les cheveux et s'en va siroter sa tisane avec les parents. Avant de quitter la pièce, elle ajoute:

— Ah oui! rappelle-moi d'apporter le tapis antistatique à notre prochaine visite, car cet appareil-là n'est pas muni du système de protection intégrée.

Ibéris fait osciller le disque sur le bout de ses doigts, au rythme de son hésitation: poursuivre – laisser tomber... poursuivre – laisser tomber... Silence...

Voyant la figure déconfite de ma sœur bien-aimée, j'interromps le balancement juste avec ces mots:

— Vas-y, Bouboule, montre-moi.

Le visage d'Ibéris s'allume en même temps que l'unité de lecture et l'écran. Avec les gestes méthodiques du pianiste, sous les yeux attentifs de ses deux sœurs, elle ouvre le lecteur, y dépose le disque, et pousse le bouton qui commande la fermeture du plateau. Enfin, Ibéris tape les mots d'exécution pour démarrer le jeu: FATA.BAT. Les textes introductifs s'affichent à l'écran.

Chapitre 3
Bienvenue à FATA CREDO

FATA CREDO est une quête que Magnolia doit réussir en traversant le monde d'Elfirie en compagnie de Migno, une petite fille égarée. Le but du jeu est de se rendre à la forêt des Laumes, quatorzième et dernière région, pour y retrouver les parents de l'enfant. Avec la manette de jeu, le joueur actionne les mouvements et les déplacements de Magnolia.

Grâce à la carte de son, le joueur peut entendre la musique, les dialogues, les chansons et les effets sonores.

Enfin, un filtre Sablier est affecté à ce jeu dans le but de chronométrer le temps de chaque partie. Un maximum d'une heure par jour (période de 24 heures) est permis. L'heure peut être fractionnée en plusieurs périodes au cours de la journée. Un sablier qui apparaît dans le coin supérieur droit de l'écran affiche la course du temps. Il assure une utilisation quotidienne contrôlée afin d'éviter les abus. Au bout de ce délai, la partie est sauvegardée automatiquement, là où en est le joueur dans sa quête. Il est impossible de recommencer une nouvelle partie tant et aussi longtemps que celle entreprise n'est pas terminée. Ce mode de fonctionnement aidera le développement de la persévérance chez l'utilisateur.

En bas de l'écran, vous verrez une barre de menus outils ainsi qu'un encadré illustrant les

objets dont vous êtes possesseur. Il suffit d'y choi-
sir vos options en y dirigeant le curseur et en
cliquant sur le bouton rouge de la manette de jeu.

ATTENTION: Les trois premiers tableaux sont
des étapes d'initiation, mais à la sortie des ta-
bleaux qui suivront, les personnages rencontrés
vous livreront des messages chantés. Il serait sage
de conserver ceux qui apparaîtront dans l'enca-
dré imprimable. Ces textes recèlent de précieux
indices et présentent un point commun.

Après ces explications, on entre dans le jeu
sur une musique médiévale; les notes coulent et
pénètrent les pores de la peau comme le jet d'une
douche matinale, sous un effet sonore quadrapho-
nique. Merveilleux! On dirait que la harpe, la
flûte, la viole et le clavecin vibrent dans notre
ventre. Comment la définir sinon comme une
musique à quatre dimensions?

> *Bienvenue au Royaume d'Elfirie*
> *Où le visiteur ne doit aller pieds nus*
> *Car les odeurs attirent les esprits*
> *Et disparaît l'enfant venu.*
>
> *L'accès à ce monde est une petite fenêtre.*
> *On y laisse son âme pour une autre vêtir.*
> *On y meurt pour mieux renaître,*
> *Recule, pour mieux repartir.*

Ensuite, les volets d'une fenêtre s'ouvrent, par
laquelle on fait traverser Magnolia et Migno dans

un monde de verdure. Avec le bras de la manette, Ibéris commande les actions de Magnolia. Elle la guide rapidement à travers les trois premiers paysages qui sont, en quelque sorte, des tableaux d'initiation déjà réussis. Enfin, elle lui fait emprunter un chemin qui mène à une coquette maison peinturlurée de fleurs et de motifs à cœur. Voilà le fameux tableau *Chez Dame Holle*.

CHEZ DAME HOLLE
Comment faire le ménage de son intérieur
Dame Holle, un plumeau à la main, gesticule sur la véranda. Cette vieille femme grassouillette, en robe fleurie, tablier blanc et pantoufles usées, n'a point de cesse avant que sa maison ne soit complètement nette. Au fur et à mesure qu'elle époussette et balaie, la saleté se redépose presque aussitôt. Elle se désole car elle a perdu le contrôle des moutons de poussière qui envahissent sa demeure aux fenêtres et volets clos. Dès que Magnolia et Migno enjambent le seuil, on voit s'élever du plancher un nuage de mousses, miettes et plumes. Dame Holle essuie et nettoie sans cesse, faisant danser la poussière qui se dépose plus loin. Désespérée, elle demande l'aide des enfants. Magnolia et Migno commencent par visiter la maison.

Ibéris a découvert l'emplacement du placard et a réussi à faire ouvrir la porte par Magnolia. Elle appuie sur les icônes de la barre d'outils correspondant aux instruments dont on se servirait normalement pour faire du ménage: balais, serpillières, seau, savon et désinfectant. Nos deux personnages s'affairent dans toute la maison. Ils répètent les mêmes gestes que Dame Holle. Une fois dans le panier, les poussières se faufilent par les interstices, se soulèvent au moindre mouvement et reprennent mollement leur place sur et sous les meubles, dans les recoins, sur les étagères, partout. Les nombreuses actions qu'Ibéris exécute sur mes conseils sont vaines; la maison reprend son aspect négligé, comme un mouvement perpétuel dans un vase clos. Une heure passe... la partie supérieure du sablier est vide, c'est déjà terminé.

Heure complétée, séance terminée, basculez vers la vie quotidienne.

— Il y a une stratégie à trouver, c'est certain, et tu perds ton temps à répéter le même scénario. Je vais y réfléchir.

Le soir, l'ébullition de mon cerveau chasse le sommeil. Les pensées moussent, se tortillent, s'enroulent les unes aux autres et, soudain, une étincelle de génie jaillit. Ça y est! J'ai trouvé LA solution pour venir en aide à Ibéris. Je vais installer sur l'ordinateur quinquagénaire un programme conçu à partir de mes nouveaux apprentissages sur *Image-anima*. Je vais doter le personnage principal de FATA CREDO de capacités qu'on ne pouvait même pas soupçonner lorsque grand-maman a inventé ce jeu.

Le lendemain matin, dès six heures, je sais

quoi faire. Avant que la maisonnée ne s'éveille et s'ébranle dans la routine du lundi, je prépare l'opération du double transfert du jeu FATA CREDO ainsi que des données de mon programme miracle sur le disque magnétique interne de l'ordinateur. C'est là que les problèmes commencent.

Chapitre 4
Choc de générations

D'abord, rien de compatible avec les nouveaux logiciels et les anciens. L'appareil de Thomas doit avoir cinquante ans, ce qui représente presque vingt-cinq générations d'ordinateurs. Première étape: je copie le contenu du CD-Rom de FATA CREDO sur le disque rigide.

En informatique, une règle prévaut: *Qui peut plus peut moins* et l'inverse s'applique aussi: Qui peut moins ne peut pas plus. Comment intégrer maintenant le logiciel *Image-anima* dans ce vieil ordinateur? L'appareil ne peut pas lire les cristaux à mémoire dont le support n'entre même pas dans le lecteur. Il n'y a pas de version sur CD-Rom puisqu'on n'utilise plus ce genre de disque depuis belle lurette. Cela me dépasse, mais j'ai une autre idée. Je retourne à la salle de projection avec le lecteur de disques de grand-papa sous le bras. Là, je le branche sur le circuit des périphériques de notre ordinateur moderne. Le CD de Jeanne pourra peut-être me servir comme support de transition du logiciel d'animation. À l'aide d'un programme de transfert, je réussis à copier les données des cristaux à mémoire sur le disque compact inscriptible[5] de grand-maman. Enfin, je

---

5. *Support sur lequel on peut modifier les données existantes ou en inscrire de nouvelles.*

reviens dans la chambre d'Ibéris et réinstalle l'appareil. Bon, tout est prêt. Le fichier d'exécution de FATA CREDO est ouvert; pourtant, les fichiers d'*Image-anima* sont encore en erreur de lecture.

L'impatience me gagne, je bouge sur la chaise à roulettes, la déplaçant et la replaçant sans cesse, remonte mes fesses sur le siège pendant que mes pieds exécutent un ballet de croise-décroise sur le tapis. «Ça ne marchera pas, ça ne peut pas marcher.» Circée a sûrement vu mes marmonnements puisqu'elle entre en douceur dans la pièce et s'approche pour m'aider en touchant le clavier. J'attrape sa main juste à temps et la pose sur ma gorge.

— Touche pas! dis-je tout bas mais sur un ton impératif et les sourcils froncés.

Elle a compris et se tient tranquille. La tension monte et, sans m'en rendre compte, j'accumule des charges d'électricité statique par le frottement de mes pieds sur la moquette. Tant pis! J'interromps toute manœuvre et approche la main pour ouvrir le lecteur de disques... CLIC! Je sursaute et crie en secouant la main.

— AÏE!

À mon cri, d'un coup, Ibéris s'éveille et bondit hors du lit.

— Qu'est-ce que tu fais là?

— J'ai vu une étincelle. Quelque chose m'a piqué le doigt, s'y est inséré et a parcouru toutes les terminaisons nerveuses de mon corps. Je viens de prendre le pire choc électrique de ma vie, lui dis-je, alors que Circée s'empresse d'embrasser le bout de mon doigt pour me réconforter.

Pendant que j'explique la solution que je voulais appliquer et la mésaventure qui en a résulté, l'ordinateur s'emballe, faisant défiler sans arrêt des messages d'erreur. Cela devient inquiétant.

— Houp! Je crois qu'il y a un bogue! Il faut régler ce problème au plus vite.

Pour vérifier les dégâts, j'effectue un balayage du disque rigide.

— Est-il endommagé? s'inquiète Ibéris.

— Attends, il reste des secteurs à vérifier...

Enfin, un message apparaît à l'écran. Je le lis rapidement, escamotant le nombre d'octets utilisés, ceux encore disponibles, et saute à la conclusion.

Vérification terminée... aucun secteur endommagé.

Ibéris et moi poussons la même exclamation: *Ouf!*

Ibéris essaie de réintégrer le jeu, mais c'est peine perdue: les touches du clavier, la manette et la souris sont devenues inopérantes. Devant cette catastrophe, la solution qui me semble la plus appropriée est d'éteindre l'appareil, tout simplement. CLIC! En appuyant sur le bouton, je prends encore un de ces foutus chocs! Je peste en sortant de la chambre.

— J'abandonne! Je ne veux plus jamais toucher à cet ordinateur. Je te l'avais bien dit qu'il était trop désuet, on n'arrive à rien avec cette antiquité! *Échec! Abandon!* Pas de reprise!

❧

La journée même, Ibéris, plus patiente que moi, rouvre l'appareil, sans problème cette fois, et dans les jours qui suivent l'incident, elle poursuit sa quête dans FATA CREDO malgré mon échec. Cependant, elle ne me tient pas au courant de sa progression. Circée, quant à elle, semble l'encourager car, à chaque séance, elle s'installe tout près de l'ordinateur, assise sur le lit. Quand l'heure s'est écoulée dans le sablier, Ibéris joue de beaux airs au clavier et Circée place ses mains sur le dessus de l'instrument et se trémousse dans une drôle de danse.

Tous les après-midi, après nos cours, je remarque qu'Ibéris passe beaucoup de temps dans la salle de projection virtuelle avec un casque sur la tête. Je ne sais pas trop ce qu'elle consulte, elle veut sans doute se reposer du petit écran de sa chambre. Ces heures-là vont lui coûter cher...

Un soir, Ibéris me confie qu'elle a l'impression que des personnages fantastiques collent à sa vie et la poursuivent. Avec un air halluciné, elle récite des phrases dans un langage théâtral:
— Ils naissent à fleur d'eau, d'une étincelle,

d'un reflet de lumière sur un écran, du givre à la surface d'une fenêtre, d'un prisme lumineux sur une bulle de savon. Le reflet du miroir leur offre une porte d'entrée. Je les vois partout, ils m'invitent à les suivre. Je ne sais pas si je devrais.

— Quelle rêveuse tu fais! Tu te racontes des histoires et tu y crois! Avoue-le, Bouboule, tu as trop joué sur le MIROIR. Appuie sur *pause*, abandonne quelques semaines et laisse mourir tes êtres imaginaires.

— S'ils venaient à mourir, il n'y aurait plus ni rêve ni aurore; l'herbe ne pousserait plus, l'eau ne chanterait plus. Il n'y aurait que nuit et cendres... Tout ce qu'ils veulent, c'est jouer avec nous, les enfants. Je n'ai pas besoin de casque pour les voir, ils sont là.

J'ai tellement ri qu'elle ne m'en a plus reparlé. Ibéris est tellement susceptible, voire hypersensible.

Chaque jour, elle conservera pourtant la même routine, laissant imperceptiblement dans une autre dimension son énergie et sa motivation. Plus les jours passent, plus elle pâlit, plus le miroir absorbe l'éclat de sa propre lumière, comme si son reflet devenait plus vivant qu'elle.

Ces changements subtils échappent à nos parents, absorbés par d'autres préoccupations. En plus de leur travail, ils ont repris leurs cours de tennis, ils doivent aussi visiter régulièrement les parents de papa qui sont malades et, finalement, ils ont entrepris avec Circée des séances chez l'orthophoniste pour lui apprendre un nouveau langage (encore) grâce, cette fois-ci, à un ordinateur portable muni d'un clavier à pictogrammes[6].

Pendant tout le mois de septembre, Ibéris, jour après jour, s'est éclipsée sans que personne ne porte vraiment attention à son état. Même pas moi qui me suis moquée d'elle.

Le premier jour d'octobre, par l'entrebâillement de la porte de la salle de projection, j'aperçois Ibéris assise sur le sofa. Elle parle avec quelqu'un qui ne répond jamais. En plus, elle ne porte pas de casque virtuel. J'observe sans qu'elle me voie. Elle discute vraiment, argumente, mais les propos m'échappent. Curieuse de connaître l'identité de son interlocuteur, j'ouvre grand la porte. Personne, il n'y a personne... aucune projection en cours: l'ordinateur central est éteint. Ibéris parle à des êtres imaginaires! Je sors de la pièce en courant.

— Maman! Papa! Ibéris parle encore toute seule! Elle est malade!

Et c'est en voulant me moquer que je leur ai mis la puce à l'oreille. Maman a discuté avec elle. Ibéris pleurait. Maman tentait de la réconforter pendant que papa posait beaucoup de questions à propos de ses visions. Nos parents ont

---

6. *Petits dessins, symboles, pour représenter les choses, les mots.*

débattu tard dans la soirée. Ils étaient inquiets et ne savaient que faire.

Le lendemain, je me lève tôt, enfile mon sempiternel pantalon vert, le plus confortable, déjeune, tortille en hâte mes cheveux dans une tresse effilochée. C'est le jour de la fameuse course 3,1416. Je veux, je vais la remporter! Vite, le départ est à 9 heures. Tous les gestes routiniers sont accomplis en vitesse, presque avec légèreté. C'est fou comme la hâte donne du ressort. Je fais mon lit, celui de Circée, ramasse la vaisselle, brosse mes dents. J'aurai fini toute ma routine et maman ne pourra pas m'interpeller à propos de mes omissions. Bon, voilà. Je suis fin prête. Malheur! Dans la salle de projection, je n'arrive pas à retrouver mon casque 3D. Je cherche partout... plus de casque! Les minutes passent, déboulent. À l'aide! Paniquée, je crie:

— Maman, où est mon casque?

Maman arrive. Son air chagrin augure mal.

— Il a fallu confisquer les casques 3D... à cause des problèmes d'Ibéris.

— Comment ça? Maman, c'est la course aujourd'hui! La course 3,1416! Ne comprends-tu pas combien c'est important pour moi? Donne-moi une chance!

— Pauvre Savo, il vaut mieux ne prendre aucun risque à partir d'aujourd'hui... On nous a dit que ces casques pouvaient être dangereux pour certaines personnes.

Voilà comment j'ai manqué la course de ma

vie. Sans casque, je ne pouvais voir ni le circuit ni les autres concurrents. Il ne restait que le son. J'ai «écouté» la course en pleurant de rage; fâchée contre maman, en colère contre les histoires d'Ibéris!

Dans les jours qui ont suivi, maman se frottait sans cesse la nuque, ce geste trahissant chez elle une grande anxiété. Le jeudi, papa et elle ont fait appel à un psychologue. Plus tard, ils ont consulté un psychiatre, puis un comité responsable de la santé mentale chez les adolescents. On a interdit à Ibéris l'accès au monde virtuel et à la salle de projection. En fin de compte, elle n'a plus parlé à personne, sauf à Circée qui ne devait rien comprendre. Elles ont passé de nombreuses heures ensemble, dans l'intimité de la chambre d'Ibéris.

Le 31 octobre, à peine un mois plus tard, en rentrant de faire des courses, j'ai constaté qu'Ibéris n'était pas à la maison. La décision avait été prise: Ibéris passerait quelque temps au Centre d'émergence de l'esprit, une maison spécialisée pour les personnes souffrant de cyberdépendance ou bien d'un mal plus étrange encore, une sorte de schizophrénie, la perte de contact avec la réalité, rendant les pensées ambivalentes: le DELIRIUM VIRTUALIS. Une maladie mentale qui s'infiltre sournoisement chez les adolescents sensibles et dont le corps calleux, une région mystérieuse du cerveau, présente une épaisseur anormale. En moins de deux mois, les visions d'Ibéris avaient désagrégé ses pensées rationnelles. Elle ne savait plus très bien distinguer les êtres virtuels des gens réels, les personnages holographiques des individus en chair et en os. Gênée de ses méprises, elle n'osait plus adresser la parole à qui que ce soit. De plus en plus, elle se repliait sur elle-même. Et moi, sans la prendre au sérieux, je l'avais laissée sombrer.

On dit que ce mal étrange ne peut être causé que par une surutilisation du casque virtuel combiné à la malformation du corps calleux pouvant affecter la perception visuelle. Ce qui était, selon les spécialistes, le cas d'Ibéris. Mes parents, inquiets de toutes les incidences possibles entre cette maladie et l'informatique moderne, m'ont interdit d'utiliser un casque de même que tous les jeux qui m'étaient accessibles sur le MIROIR. Je dois donc poursuivre mes cours en mode audio ou en lisant sur le grand écran. Quelle platitude! Mais pire, fini le projet de conception du nouveau jeu avec Ibéris, le rêve de notre vie.

La tête sur un oreiller imbibé de larmes, les yeux rouges fixés au plafond, ce soir, le sommeil me fait faux bond. Le temps engourdit le cadran numérique sur la commode, mes doigts se crispent sur une lettre écrite à la main par Ibéris. Avant de quitter la résidence, elle l'aura probablement glissée, en cachette, sous mon oreiller.

Me pardonneras-tu un jour de t'avoir fait manquer ta course 3,1416? En attendant, je te propose une autre course: ma quête sur FATA

CREDO, avec cet indice: on doit faire plus que de secouer rideaux, coussins, oreillers, édredons, tapis et tentures. Si l'on répète les mêmes habitudes que Dame Holle, si on jette dans la corbeille les détritus, si on laisse toujours les fenêtres fermées, la maison ne sera jamais aérée et ce sera le cercle vicieux. Un vase clos... Et si on ouvrait le vase? Car il ne suffit pas de désinfecter une pièce pour la purifier, il faut se débarrasser des débris qui encroûtent, ouvrir grand la fenêtre et la porte, laisser entrer l'air nouveau. La poussière volera au dehors.

Savoyane, tu pourras poursuivre la partie enregistrée à mon nom. Je ne pourrai probablement pas la terminer de sitôt. Le texte qui précède était la clé pour traverser le quatrième tableau. Ce n'était pas si compliqué et, chose surprenante, je ne sais plus si c'est Magnolia ou moi qui ai trouvé la solution. Tu pourras revoir le cheminement de la partie que j'ai entreprise en faisant la commande «Visionner à partir du début». Ainsi, tu récapituleras tous les indices que tu as manqués. J'ai déjà traversé dix tableaux. Si jamais tu constates que le jeu est différent depuis que tu y as installé tes fichiers bizarres, fais-le-moi savoir... Moi, j'y ai trouvé une source d'inspiration pour composer des mélodies surprenantes, je te les ferai entendre à mon retour. J'espère qu'elles pourront servir pour le jeu que tu conçois présentement.

La clé pour connaître les frontières du possible est de traverser juste un peu au-delà, vers l'impos-

sible, comme Alice pénétra dans l'envers du MI-ROIR pour accéder à un monde de merveilles.

Ib. (nov. 2048)

Très tôt le matin, dans le miroir de la salle de bains, les cernes sous mes yeux trahissent une trop courte nuit, un sommeil agité. J'ai la bouche pâteuse mais la pensée... bien claire: c'est décidé, pour Ibéris, j'irai à FATA CREDO, quoi qu'en pensent mes parents. Je trouverai bien une façon d'explorer ce monde lorsqu'ils seront absents ou lorsqu'ils dormiront.

L'écran de l'ordinateur éclaire en bleu le coin de la chambre d'Ibéris. Je me retrouve imbibée par cette lumière froide en train de regarder défiler, comme une bande vidéo, la partie de ma sœur, jusqu'au fameux tableau de *Chez Dame Holle*.

Je vois Magnolia et Migno qui ouvrent toutes les fenêtres et les portes pour aérer la maison. Elles secouent balais et plumeaux dehors. Dame Holle, dans de grands élans de satisfaction de voir sa maison propre, partage son bonheur en distribuant des cadeaux pleins d'odeur. Elle remet à Magnolia une bouteille de parfum et à Migno, une poupée de son fleurant le miel.

À la fin, elle chante:

La poussière recouvre toute chose,
Les meubles, les souvenirs et les morts;
Sous elle, la matière se décompose,
Elle étouffe l'éclat du plus bel or.

Si tu en débarrasses ma maison,
Te donnerai flacon d'odeur;
Un parfum qui sent si bon
Qu'il charmerait même un Pisteur.

À Migno je donnerai
Poupée de son sentant le miel,
Mais si on ose la goûter,
Dans la gorge, deviendra fiel.

Une fois dehors, moutons de poussière
Seront au loin emportés par le vent.
Le lendemain, sur la terre,
Tomberont en flocons blancs.

J'essaie de poursuivre le visionnement de la sauvegarde d'Ibéris, mais l'ordinateur indique: *Heure complétée, séance terminée, basculez vers la vie quotidienne.* Cela m'étonne d'autant plus que je croyais qu'Ibéris en était beaucoup plus loin dans l'évolution du jeu. Ne m'a-t-elle pas écrit qu'elle avait traversé dix tableaux? Elle s'est sans doute trompée et aura oublié de sauvegarder ses heures par la suite. Mais non, c'est impossible puisque la partie s'enregistre automatiquement... Dans sa lettre, Ibéris a fait allusion à des différences survenues dans le jeu depuis mes vaines tentatives d'installation d'*Imageanima*. Si quelque chose s'est détraqué dans le programme, je devrai continuer à partir de ce point.

Qu'importe! Sans inquiétude, je vais sûrement être en mesure de trouver les subtilités pour traverser le jeu complet avant même qu'Ibéris ne revienne à la maison. Après tout, je suis une pro des jeux informatiques, il en va de ma réputation. En éteignant l'appareil, mon esprit revient à la réalité dans un choc électrostatique. CLIC!

Avant le réveil des troupes, je sors de la chambre. En me frottant le doigt, une question bizarre me vient à l'esprit: Est-ce l'ordinateur qui se charge de mon énergie ou bien moi qui l'accumule?

Chapitre 5
Une ombre au tableau

L'abonnement pour les heures de consultation et d'utilisation du MIROIR doit être assumé, en partie, par mes propres deniers et, comme l'argent ne roule pas dans les rues, j'ai trouvé quelques activités rémunératrices: une fois par semaine, le samedi, je fais le ménage et quelques courses pour madame Olga Sanschagrin en avant-midi et chez monsieur Edgar Lévesque dans l'après-midi. Ce sont des personnes âgées semi-autonomes. Avec la tâche de la lessive de notre maisonnée, voilà mes trois sources de revenus: 100 $ par semaine.

Le 7 novembre, comme chaque samedi matin, madame Olga m'attend; après le dîner, je dois aller chez monsieur Edgar. Mais voilà que ce samedi-là, les parents sont encore demandés d'urgence au centre Drexler. Évidemment, en plein samedi et à la dernière minute, impossible de trouver un service de garde. En dernier recours, papa et maman me confient Circée avec moult mises en garde. Je leur explique mon conflit d'horaire.

— Moi aussi, je travaille aujourd'hui. Madame Olga et monsieur Edgar comptent sur moi. Pourquoi n'emmenez-vous pas la petite avec vous?

— Ce n'est pas possible, me répond rapidement papa, le système de sécurité de l'entrée reconnaît seulement les empreintes digitales des individus travaillant au centre. Celles de Circée n'étant pas dans la banque d'information, elles feraient déclencher le système d'alarme. Je t'en prie, occupe-toi d'elle. Tu pourrais l'amener avec toi faire le ménage. Dépêche-toi, il faut partir maintenant. Nous vous accompagnerons jusque chez Olga et, cet après-midi, communique avec moi dès que tu auras terminé chez Edgar. Nous ferons l'impossible pour venir vous y prendre. Leur édifice est bien protégé et continuellement sous surveillance. Nous rentrerons ensemble avant la tombée du jour.

En chemin, maman caresse sans cesse la tête de Circée. Avant de la quitter sur le pas de la porte de chez Olga, elle la serre fort contre elle et l'embrasse sur le front, et sur le nez, et sur les joues et, enfin, sur sa petite bouche en cœur. Elle m'adresse un vague bonjour de la main puis, presque au pas de course, papa et elle atteignent l'ascenseur au bout du corridor.

Évidemment, madame Olga est charmée par la visite imprévue de Circée. La petite vieille rondouillarde l'accueille d'un large sourire qui découvre ses fausses dents. Elle rit de voir cette enfant, plus embarrassante que serviable, qui veut mettre sans cesse la main à la pâte lorsqu'elle m'accompagne dans les tâches ménagères. Elle l'enveloppe de ses bras charnus et Circée répond en frottant ses joues dans les boucles blond platine d'Olga, couleur qui n'a rien de naturel, pas plus que le frisé des boucles permanentées.

La cuisine recèle mille parfums de plantes séchées, d'aromates, de fines herbes et d'épices. Des bouquets pendent çà et là, la tête en bas, dans les placards et même dans les armoires. Olga en fait des infusions calmantes, diurétiques, laxatives, des somnifères ou des stimulants. On dit qu'elle sait guérir les ulcères, le stress, les maux de ventre, d'intestin, de tête ou de cou juste avec des décoctions, des bouillons, des tisanes à base végétale. Il y a toujours une bouilloire qui souffle sur la cuisinière, une théière qui chuchote. Au printemps, cette vieille jardinière sème des plantes étranges dans des boîtes à fleurs et dans le carré de terre découpé à même le gazon de la cour arrière. Olga est herboriste.

De ce bel étalage de plantes ratatinées dégringole un tas de saleté qui court au sol jusque dans les sombres recoins. Parfois, on a l'impression de marcher sur des croustilles. Les feuilles s'effritent sous le pied, s'envolent en miettes et se glissent sous, sur et dans les meubles. C'est une engeance, mais rien à comparer avec la collection de théières qu'il me faut nettoyer deux fois par mois: des théières en forme de maison ancienne, de pomme, de tulipe, en laiton, en fer blanc, en porcelaine, en céramique, de Limoges, d'Angleterre, de Chine, de Thaïlande... Soixante théières à frotter et à essuyer avec le plus grand soin! Cette corvée demande plus d'une heure de travail, une patience d'ange, sous les regards attentifs et les lon...gues... histoires de cette chère Olga.

— Pourquoi avez-vous autant de théières? Deux ou trois pourraient vous suffire!

— C'est une longue histoire... Vois-tu, je voudrais offrir une théière en cadeau à un monsieur de qui je veux attirer l'attention. Tu vas rire, mais cela fait presque quatre ans que je commande des théières et, lorsque je les reçois, je n'arrive plus à me décider à les donner. Elles ne me paraissent jamais assez belles pour lui. Alors, j'ai maintenant toute cette collection!

— J'espère que vous aimez le thé au moins!

— Ça aussi, c'est une longue histoire. J'adore le thé, mais seulement en compagnie de quelqu'un d'autre. C'est comme une boisson sociale autour de laquelle il y a une sorte de rituel. Savais-tu qu'au Japon, les geishas qui avaient en charge la cérémonie du thé devaient exécuter plus de 90 gestes précis pour la préparation de la divine boisson? Lorsque tu prépares du thé, n'oublie pas de toujours emplir d'eau très chaude la théière pour en réchauffer la porcelaine d'abord. Lorsqu'elle est à point, tu peux remplacer l'eau tiédie par de l'eau bouillante dans laquelle tu ajoutes l'infusette...

Elle agite, au bout d'une chaînette, une petite sphère métallique perforée qu'elle a emplie de feuilles séchées.

— Veux-tu prendre une tisane de camomille avec moi?

— Madame Olga, j'ai terminé mes tâches et il est tard. J'ai du travail ailleurs, lui dis-je pour éviter une autre de ses longues histoires.

J'espère qu'en plus je n'aurai pas besoin de lui rappeler combien elle me doit, cela me gênerait au plus haut point, comme si je mendiais.

— Bien sûr, bien sûr, tu n'as pas le temps d'écouter les recettes d'infusion d'une vieille sorcière comme moi. Mais attends juste une minute. Avant que tu partes, je voudrais donner un souvenir à Circée, au cas où je ne la reverrais pas avant un bout de temps.

Appuyée sur sa canne, elle se dandine de la cuisine à la chambre et revient avec une boîte sous le bras. Puis, elle fait signe à Circée de venir la rejoindre sur le sofa. Là, délicatement, elle ouvre la boîte et écarte le papier de soie, découvrant une paire de petites bottes de cuir rouge qu'elle tend à Circée. Cette dernière a vite compris la générosité du geste et manifeste sa joie en applaudissant.

— La chanceuse, du vrai cuir... ne puis-je m'empêcher de soupirer. C'est si rare maintenant! Elles doivent valoir une fortune! Ce n'est pas juste, c'est toujours les mêmes qui ont tout... Vous n'en auriez pas une paire à ma pointure, par hasard?

Madame Olga est visiblement mal à l'aise de ne pouvoir m'en donner autant. Elle perçoit l'envie qui teinte ma pupille.

— Oh! Savoyane, je regrette, je n'ai sauvé que cette paire à travers le temps et les déménagements, mais non sans peine et sans raison. Ces bottes ont une longue histoire. Elles m'ont été offertes il y a 78 ans, en 1970 exactement. Mais l'hiver où j'aurais pu les porter, j'ai été heurtée par une automobile et mes petites jambes ont subi de nombreuses fractures. J'ai passé toute l'année de mes quatre ans au lit. L'orthopédiste avait perdu espoir de me revoir marcher.

«Pourtant, tous les jours, je priais pour retrouver la force dans ces jambes plâtrées. Mes bottes rouges sur la table de chevet m'appelaient, m'invitaient. En rêve, avec ces bottes au pied, je claquais du talon, dansais, courais. Je crois bien que cet espoir a entretenu un lent processus de guérison car, un an après, j'étais debout sur mes pattes, mais les bottes étaient déjà trop petites. Oh! Je n'ai jamais pu courir ou danser; par contre, je tenais debout et pouvais marcher avec des béquilles au début, puis à l'aide d'une canne, ma troisième jambe. Je n'en demandais pas plus.»

Olga caresse le cuir rouge.

— Elles représenteront toujours le symbole de ma volonté de guérir, de marcher. Peut-être donneront-elles à Circée le goût de la danse, un certain parfum de liberté.

Ce récit pince ma corde sensible que j'ai, habituellement, plutôt rigide. Je n'avais même pas imaginé que madame Olga, cette vieille femme enveloppée, endimanchée, ait pu être jeune et aussi une petite fille qui souffre. En cette seconde, ses yeux rieurs au-dessus de la tasse de tisane qu'elle sirote me dévoilent l'étincelle de cette jeunesse accrochée à son cœur, comme une fleur fanée qui garde sa couleur.

— Tu sais, Savoyane, vieillir c'est comme sombrer dans un océan sans fond.

Comment retenir l'émotion qui escalade mon œsophage? Je souris à ce visage qui cache souffrance et bonté dans les plis et replis du temps. Une larme glisse le long de son nez et s'évanouit dans un sillon de la peau ridée. Son corps fatigué s'affaisse sur les coussins.

Ma compassion soudaine pour cette vieille dame est un sentiment nouveau. Je ne sais pas s'il faut la prendre dans mes bras, la réconforter, l'écouter, lui parler. La confusion de mes émotions me fait vaciller quelques secondes. Circée, bien plus spontanée, a tôt fait de sauter sur les genoux de l'octogénaire, ceinturant le cou de ses bras potelés et semant des petits baisers sur les joues flétries et dans le cou à plusieurs étages. C'est magique, larmes et nostalgie s'évanouissent, le bonheur rehausse vite les commissures des lèvres d'Olga. Elle ricane derrière sa main.

— Toi, ma petite Circée, tu es une bénédiction. Reviens souvent me voir, je te donnerai d'autres souvenirs, lui dit-elle, très fort.

De toute la confusion qui m'habitait, la jalousie est finalement le sentiment qui gagne, ce qui me fait répondre sur un ton sec:

— Vous perdez votre temps, faites-lui plutôt des signes parce qu'elle n'entend rien, Circée est sourde, sourde comme un pot depuis qu'elle est au monde! Vous ne vous en êtes donc pas aperçue?

En me renfrognant et dénouant l'étreinte de Circée, j'explique à madame Olga que le temps presse et que je dois partir au plus vite. Elle me donne une carte à puces.

Assez de sensiblerie pour aujourd'hui. À quoi bon se mettre à l'envers pour rien? Vaut mieux avoir un cœur de pierre, on risque moins de sentir la souffrance.

Dans le hall, Circée insiste pour chausser ses nouvelles bottes.

Nous prenons l'ascenseur et descendons chez Edgar. Son appartement, perché au septième étage, n'est jamais en désordre.

Fidèle à son habitude, je retrouve monsieur Edgar assis dans un fauteuil royal, à croire qu'il a les fesses collées sur le siège. Il regarde un roman holographique. Toute la journée, il visionne des émissions d'intérêt général, des films et documentaires, mais il a un faible pour les feuilletons car il a l'impression que les personnages tridimensionnels grandeur nature sont avec lui, dans l'appartement. Alors, il se sent moins seul. Dès qu'il nous aperçoit, il interrompt l'émission et, en quelques secondes, les personnages virtuels se concentrent en plusieurs petits points lumineux puis s'éteignent à leur tour.

— Bonjour! Bonjour! Quelle belle visite! Tiens, nous avons une nouvelle aide-ménagère aujourd'hui? Comme elle est mignonne! Viens me voir un peu.

— C'est ma petite sœur, Circée. Elle ne peut vous entendre, monsieur Edgar, elle est sourde. Je dois la garder aujourd'hui. Est-ce que cela vous ennuie qu'elle soit là pendant que je ferai le ménage?

— Mais pas du tout! Pas du tout! Au contraire, je veux même m'en occuper.

Alors, chose surprenante, monsieur Edgar se lève de son fauteuil et s'avance vers Circée. Monsieur Edgar, toujours élégant dans sa longue robe de chambre en satin, a un souci constant de son apparence: les cheveux blancs lissés en arrière, la moustache brossée avec soin et, flottant autour de son visage, un nuage de parfum chic. À la retraite depuis vingt ans, il ne se déplace que très peu. Je crois même qu'il ne sort jamais de chez lui et qu'il n'a pas la chance d'accueillir de visiteurs. Je me demande encore pourquoi il vit seul, sans compagne. Un jour, je me promets de le lui demander. Je remarque qu'une claudication affecte sa démarche sans rien enlever de noblesse à ce grand personnage. Il appuie doucement sa main sur la tête de Circée. Elle lui sourit et il est tout de suite charmé.

— Attends, je crois que j'ai quelque chose pour toi.

— Monsieur Edgar, elle ne vous entend pas.

Alors, je pose la main de Circée sur ma gorge. Je dis:

— Ce monsieur s'appelle Edgar et il veut te donner un cadeau, lui dis-je en articulant bien chaque syllabe et en la pointant du doigt en prononçant le mot «te».

Le sourire de Circée s'élargit. Je suis certaine qu'elle a compris et que mon truc fonctionne.

Avec son pas lent, le vieil homme se dirige vers une bibliothèque et revient avec une statuette de métal représentant un dragon, les ailes entrouvertes, tenant dans ses griffes une petite boule de cristal. La bête est posée sur un socle en miroir qui multiplie les reflets iridescents du cristal sous la lumière.

— Savoyane, explique-lui que je suis un vieux sentimental et que je conservais ce bibelot depuis mon adolescence, époque où je jouais à *Donjons et dragons*. C'est vrai, tu ne dois pas connaître... c'était une sorte de jeu de rôles...

Il m'est difficile de traduire les propos d'Edgar à Circée. Au fond, elle a compris l'essentiel et, par une accolade, elle manifeste toute sa gratitude à cet hôte généreux.

Pendant que je nettoie l'appartement, Edgar apprend un jeu à Circée. Il cache le dragon sous l'une de ses bottes rouges. Il dépose les deux bottes à l'envers, côte à côte, et Circée doit deviner sous laquelle est camouflé le dragon. Lorsqu'elle trouve, elle éclate de rire. C'est rare d'entendre Circée s'esclaffer aussi fort. Cette cascade de sons est si gaie que je ne peux m'empêcher de sourire chaque fois que je l'entends.

Papa me rejoint par vidéophone. Il ne peut se libérer à temps pour venir nous chercher en fin d'après-midi. Il s'inquiète inutilement pour nous. Je lui dis que la distance entre les deux édifices ne me prend que dix minutes pour l'aller. Il fait encore jour. Cela le rassure. Il me fait promettre, malgré tout, de ne pas emprunter la ruelle.

Sur la route principale, nous rentrons donc seules, Circée et moi. C'est avec la tête haute et une démarche de soldat qu'elle m'accompagne sur le chemin du retour, fière de ses bottes rouges et de son dragon qu'elle tient contre elle. Ce soir-là, il s'en est fallu de peu qu'elle couche avec ses bottes et la figurine de plomb.

Une fois notre demoiselle endormie, papa, maman et moi écrivons chacun une lettre à Ibéris. Voici ce que je lui confie.

Lettre à ma sœur lointaine

Ibéris, ta musique me manque autant que ta présence, ta douceur et ta compréhension. J'aimerais tant pouvoir te parler, te voir, t'entendre. Les parents ont refusé catégoriquement que je communique avec toi par vidéophone et par courrier électronique, car tu n'as accès à aucun système informatique là où tu es. Alors, il me reste la bonne vieille écriture et le lamentable service de messagerie pour te dire que je ne t'en veux plus de m'avoir fait manquer ma fameuse course.

Combien de temps durera ta thérapie au Centre d'émergence de l'esprit? Comment se déroulent tes journées? Papa et maman ont peur que la maladie s'insinue également dans mon cerveau, moi qui ne crois pas vraiment à ce mal. Ne serait-ce pas plutôt une sorte de névrose inventée par les adultes eux-mêmes, refusant de comprendre le bien-être que l'on éprouve à se retrouver dans les mondes virtuels, une stratégie pour nous empêcher de jouer, d'avoir du plaisir là où les adolescents avaient enfin une place? Ils ont peur car ils n'ont pas le contrôle. En réalité, tu n'es peut-être pas plus malade que moi, seulement plus sensible et trop rêveuse. Selon toi, les rêves deviennent possibles. Pardonne-moi de ne pas l'avoir compris plus tôt.

Papa a confisqué les casques virtuels et verrouillé la salle de projection. Je n'ai le droit d'y aller que pour les cours sur le MIROIR que je poursuis par audio et par écrit. Tout accès aux jeux virtuels m'est interdit. Par contre, sans le dire à nos parents, je continue ta partie sur FATA CREDO, quand ils sont absents ou qu'ils dorment. Je te tiendrai au courant de l'évolution du jeu. Pourras-tu me venir en aide au besoin?

Même si cela me demande des efforts herculéens, je vais t'écrire souvent. Essaie de me répondre, je t'en prie. En attendant, si cela peut t'occuper l'esprit, tâche de te concentrer sur la

composition de la musique de notre projet de jeu
vidéo! Ne laisse personne te prendre nos rêves!
   Savo

Avant de me mettre au lit, je ne peux résister à l'envie de m'installer devant l'ordinateur pour visiter le tableau suivant: *Les marais*.

LES MARAIS
Le plus grand handicap: la peur
Un sentier, qu'il faut souvent passer à gué sur des pierres, traverse le monde des marais. Si, par malheur, Magnolia touche à l'eau, la Meuve, terrible monstre aquatique, l'attrapera. Cette sorcière habite sous l'eau et saisit la cheville des enfants qui mettent le pied trop près de la berge. Elle est laide à faire frémir: peau verdâtre, dents jaunes et acérées, cheveux de varech; ses doigts portent des ventouses pour mieux agripper ses proies. Sous le nombril, son corps se termine en une longue queue de serpent. Elle mange les enfants pour renouveler son sang. L'odorat fin est sa principale force, la mauvaise vue, sa seule faiblesse.

Magnolia porte le bébé sur ses épaules. Les mains-tentacules de la Meuve sortent à tout moment pour surprendre la voyageuse. Le sentier mène à un pont qui enjambe une rivière. Là, le passage est très étroit et le pont effleure la surface de l'eau. À cet endroit, la Meuve attrape toujours Magnolia. Dix fois, vingt fois, il faut reprendre la scène à partir de ce passage particulièrement difficile. La Meuve sort sa gueule pleine de dents et fend l'eau avec sa queue de serpent.

C'est une impasse, j'ai beau essayer d'autres passages, il n'y a que des culs-de-sac. Je n'arrive pas à traverser dans le prochain tableau. Ce n'est plus l'impatience qui gagne mes nerfs, c'est la peur. Une peur qui submerge ma pensée et m'empêche de me concentrer. C'est insensé: une peur qui cloue sur place, qui empêche d'avancer et même de reculer. Elle s'insinue dans les tripes et engendre un stress qui fait perdre le contrôle. Quand même, je ne peux pas avoir peur, ce n'est qu'un jeu! L'heure sera bientôt passée sans que j'aie trouvé de solution.

Tout à coup, quelqu'un ouvre la porte de la chambre brusquement. C'est papa.

— Qu'est-ce que tu fais là?

— Je poursuis une partie...

— Je préférerais que tu cesses ce genre d'activités pour les jours qui viennent. Avec ce qui est arrivé à Ibéris, nous sommes inquiets, ta mère et moi, vis-à-vis des jeux informatiques.

— Mais voyons, papa, ce jeu est inoffensif! C'est le jeu de grand-maman Jeanne...

— Ça ne fait rien... De toute façon, tu devrais être couchée à cette heure-ci. Je vais probablement avoir besoin de toi tôt demain matin.

❧

Pendant la nuit, fait surprenant, il tombe vingt centimètres de neige. On s'étonne d'une telle bordée en novembre, d'autant plus que les précipitations de neige sont plutôt rares sous nos latitudes depuis quelques années. On dit que c'est l'un des résultats de l'effet de serre.

Dès qu'elle se lève, Circée, émerveillée par le paysage tout blanc, s'approche de mon lit avec son agaçante ritournelle flûtée et me fait comprendre qu'elle veut aller marcher dans ce tapis moelleux. Encore en pyjama, elle a déjà chaussé ses nouvelles bottes et, pour la calmer, je lui promets que nous irons au parc en après-midi, si maman est d'accord.

Dans la cuisine, papa et maman sont déjà habillés et terminent leur déjeuner. J'apprends qu'en ce dimanche, ils se rendent au Centre d'émergence de l'esprit pour visiter Ibéris.

— Attendez-moi, je voudrais bien aller la voir. Pourquoi n'y allons-nous pas tous ensemble? Je vais préparer Circée, dis-je avec empressement.

— Pour cette fois, il s'agit d'une rencontre avec les parents seulement. Nous devons rencontrer les intervenants et assister à une conférence. La prochaine fois, si Ibéris va bien, nous irons tous ensemble, c'est promis, argumente papa. Tu devras t'occuper de ta petite sœur pendant que nous serons partis. N'oublie pas d'enclencher le système de sécurité dès notre départ. Vous pourrez visionner des films 2D sur l'appareil de notre chambre à coucher. Pour te remercier, je te donnerai une surprise. Nous devrions être de retour pour midi.

Bon, pour la troisième fois, je reste seule avec Circée. Mais pas question de visionner des films 2D. Dès qu'ils sont partis, je prends Circée par la main et l'emmène avec moi. Je pense tout haut:

— Viens, Circée, puisqu'ils nous abandonnent, nous, on va désobéir. On va visionner en 2D, oui, mais sur l'ordinateur de la chambre d'Ibéris, et tu vas peut-être m'aider à contourner la Meuve. Il paraît que les meilleurs professeurs sont les enfants.

On se faufile dans la chambre d'Ibéris située à l'autre bout de l'appartement. Circée s'installe sur le lit, dépose son assiette à déjeuner sur ses genoux et observe l'écran. La partie est à peine amorcée que ma spectatrice a une main sur la bouche, l'œil fixe, le sourcil froncé. Qu'est-ce qui peut autant crisper son visage? La peur ou la concentration soutenue?

Tout à coup, comme propulsée par un ressort, elle bondit sur ses talons et approche son doigt de l'écran. CLIC! À son tour de prendre un vilain choc. Malgré la désagréable surprise, elle désigne la poupée de son puis indique un endroit pour la déposer sur le pont. Tiens, voilà une solution envisageable. À tant regarder jouer Ibéris, Circée a dû apprendre plusieurs astuces. Ici, il suffisait de tromper la Meuve à l'odorat si fin, mais à la vue défaillante. Je me souviens maintenant de l'allusion de Dame Holle dans son petit discours.

> *À Migno je donnerai*
> *Poupée de son sentant le miel,*
> *Mais si on ose la goûter,*
> *Dans la gorge, deviendra fiel.*

Magnolia exécute les directives qui lui sont données. Je la dirige sur le pont avec le bébé, pendant que la Meuve, distraite, se méprend et tente de sucer le sang d'une poupée fétiche. Elle n'en tire que du son. Il se gonfle dans la gorge de la Meuve. Celle-ci étouffe et meurt sur la grève. Bon débarras! Son corps sèche au soleil, mais sa queue reste intacte; le cuir de reptile brille sous la lumière.

Du fond des marais s'élèvent des âmes qui se mettent à entonner un chant. Pour la première fois, les paroles s'inscrivent dans la zone imprimable.

Folie! Ne laisse pas la peur te submerger,
L'émotion coupera les ailes de ta pensée.
Tant que tu n'auras pas maîtrisé la situation
Te reviendront les affreuses visions.

Circée applaudit et me saute au cou. Elle attrape ma longue tresse et, avec le pinceau qui la termine, elle se met à dessiner sur mon visage. Ça chatouille, je ris en tortillant le nez et la chatouille à mon tour. Elle se dégage, tourne son visage vers la fenêtre et me fait signe: elle veut aller dehors. Zut! Nos parents étaient si pressés à leur départ, j'ai oublié de demander la permission à maman. Utilisant le truc de la main sur la gorge, je dis à Circée:

— Il faut attendre maman pour sortir. Après le dîner, c'est promis, je t'emmène au parc. Viens maintenant, on va faire du lavage.

Avant d'éteindre l'ordinateur, j'imprime le quatrain de fermeture, un geste que je me promets d'entretenir, puis je ferme le contact. CLIC! Je prends un choc. De la main, j'invite Circée à sortir de la chambre. Elle a toujours les yeux rivés à l'écran. Elle s'en approche et, comme un chat, elle essaie d'attraper quelque chose sur le reflet de la vitre.

Je la saisis par l'épaule pour qu'elle tourne enfin les yeux vers moi. Elle montre l'écran du doigt puis l'allume et l'éteint sans arrêt. Mais qu'est-ce qu'elle veut? Je frappe par terre avec mon pied et, avec un grand geste des deux bras, d'un coup, je fauche l'air à l'horizontal. Elle sait que cela veut dire «Arrête! Ça suffit!». Je la prends dans mes bras pour la sortir de force même si elle gesticule comme une grenouille. D'une main, elle tourmente ma tresse, de l'autre, elle désigne l'ordinateur. En tournant la tête vers l'écran avant de quitter la chambre, je distingue, sur la fenêtre de l'ordinateur, une ombre furtive, une silhouette qui me salue de la main... Hein! Qui est-ce? Je m'approche du tube-écran et n'aperçois que mon reflet dans le verre.

Chapitre 6
Le trou noir

Une imposante lessive m'attend. J'imagine le lavage comme la formation d'une chaîne de montagnes. Ça jaillit du sol, poussé par en dessous, ça s'use sur le dessus par l'érosion, lentement, tranquillement, et le processus reprend grâce à l'équilibre isostatique. Ainsi, il y a toujours une montagne en place dans le paysage, toujours un tas de linge à laver, un panier de vêtements à plier... Un mouvement perpétuel!

Les temps morts entre les cycles de lavage et de séchage sont une belle occasion pour profiter des minutes qui me sont encore disponibles aujourd'hui sur FATA CREDO. Heureusement, l'heure qui m'est accordée pour le jeu peut être divisée en plusieurs petites séances quotidiennes.

LES RUINES DU MONASTÈRE
Le plus grand ennemi: soi-même
Dans ce tableau, la mission est de trouver le miroir magique caché dans la salle des glaces. Mais avant de l'atteindre, on doit traverser un labyrinthe serpentant à travers des ruines. De nombreux traquenards vous menacent (pluie de pierres, plantes agrippantes). Magnolia doit trouver la trappe qui conduit à la salle des glaces.

Toujours accompagnée de Migno, Magnolia chemine dans le dédale, évite la chute des pierres, contourne les lacs de lave, traverse les haies d'épines et se met bientôt à tourner en rond, marchant là où elle est déjà passée. Si elle se trompe, elle ne commet jamais deux fois la même erreur. Elle revient, remet en question, rebrousse chemin, recommence, se perd dans l'inconnu. Parfois, tout est différent, quelques tours plus loin, tout paraît semblable. Il semble qu'elle ait exploré tous les couloirs du labyrinthe en entier sans avoir découvert le passage secret qui mène à la salle des glaces. Boum! Une vibration fait trembler l'image à l'écran... Boum! Encore... Boum! C'est la cadence d'une marche, la marche d'un monstre. Une musique emboîte le pas à ce rythme et, sur un air cadencé, on entend ces paroles:

Aveugle, tu t'es dirigée sans voir
Et tu as l'impression de parcourir
Interminablement les mêmes couloirs
Dans un dédale où un monstre se met à gémir.

Un dragon te poursuit, affamé,
Il a repéré ton ombre au dernier détour;
Follement tu t'es engagée
Dans un passage sans retour.

Tes mains moites cherchant appui
Trouvent le contact rude et froid
De la cloison contre laquelle tu languis.
Laisse-toi glisser plus creux, plus bas.

La course folle mène les deux fugitives dans un

cul-de-sac. Alors qu'elles s'accroupissent au pied du mur, Magnolia distingue un levier fixé près du sol. En l'actionnant, une trappe s'ouvre dans le plancher: une ouverture juste assez grande pour que puissent s'y introduire les deux prisonnières, mais trop petite pour laisser passer l'énorme dragon. Une fois dans le souterrain, la lumière jaillit et se réfléchit partout sur les murs: voilà enfin la salle des glaces. Cloisons, plafonds, planchers sont couverts de milliers de miroirs multipliant les reflets. Lequel est le miroir magique? Lequel récupérer? Magnolia ramasse un premier miroir, mais il se liquéfie dans ses mains. Un autre, encore un autre, puis toujours un autre... aucun ne subsiste jusqu'à la sortie située à l'extrémité opposée de la salle. Ce sont de faux miroirs, faits de glace fondante.

Alors, Magnolia s'approche de la trappe du plafond, au-dessus de laquelle piétine l'impétueuse bête. La jeune fille pousse avec ses pieds une plaque de glace aussi grande qu'elle, juste sous l'ouverture, et se place de telle sorte que son image soit réfléchie dans cette glace vers le dragon. Croyant incendier la vraie Magnolia, le dragon s'époumone à cracher le feu pour carboniser sa proie. Il ignore que les deux héroïnes se sont réfugiées derrière la porte de sortie du souterrain. Le souffle incandescent du dragon a pour effet de fondre toute la glace de la salle. Les murs et plafonds s'affaissent, s'égouttent, pleurent. Dans la caverne, Magnolia distingue maintenant le seul miroir qui a résisté à la chaleur. Pendant que le dragon reprend son souffle, elle court récupérer le précieux objet. Celui-ci lui renvoie son image. À la sortie du tableau, elle chante avec Migno:

A-t-on réussi à tuer la vérité par les flammes
Ou, par des bûchers, avoir raison des sorcières?
Jamais, puisque la vérité est un feu qui dévore l'âme,
La rongeant sans cesse par sa fascinante lumière.

Toutes naissances et fins aboutissent au Trou noir
Invisible et si dense qu'il absorbe la matière.
Violente antithèse, le chemin le plus long te mène au miroir
Qui te révèle ton reflet, ta propre lumière.

Une autre page imprimée s'ajoute à celles que j'ai déjà rangées dans un cahier. Je cours plier le linge sec et chaud. Tiens, il manque encore un bas de ma petite sœur. C'est étrange, ce phénomène se répète régulièrement depuis les dernières semaines. En tout, huit ont été perdus!

Voulant en avoir le cœur net, j'enlève l'agitateur de la machine à laver mais aucune pièce vestimentaire, aucune chaussette n'encombre le système. Où peuvent-elles bien être passées? Sont-elles aspirées dans un trou noir? Circée n'a plus aucune paire assortie et refuse de porter des socquettes de couleurs différentes. Je l'envoie chercher dans notre chambre et, pendant ce temps, j'en profite pour continuer la quête qui commence à m'absorber de plus en plus. Il ne me reste plus qu'une demi-heure de jeu aujourd'hui.

LES ILLUSIONS
Comment regarder autrement

Dans ce tableau, Magnolia s'aventure dans une forêt où elle doit trouver un os et un jeu de cartes magiques. Je lui fais suivre tous les sentiers possibles sans apercevoir la moindre trace de ces objets. Il semble qu'ils soient bien cachés ou invisibles. Le titre du tableau *Les illusions – Comment regarder autrement* révèle sûrement un indice. Regarder autrement, ce doit être se servir du miroir pour repérer ce que l'on cherche, au-delà des apparences trompeuses. Comme rien ne sert à rien, le miroir doit bien être utile à quelque chose. Magnolia le soulève donc devant elle et, un peu à la façon d'un automobiliste qui zieute dans son rétroviseur, elle avance lentement en scrutant, dans le verre étamé, l'image du paysage se trouvant derrière elle. Je zoome sur les détails du reflet pour y observer une autre perspective, plus en profondeur. Voilà l'astuce! Je repère rapidement l'os et le jeu de cartes, Magnolia les ramasse. Facile! Cette fois, ce sont les arbres qui se mettent à chanter.

Sortie du tableau:

À trop vouloir te montrer le monde,
Les grands usurperont ton propre sens de Voir.
Comment peuvent-ils t'apprendre les réalités profondes
D'un univers auquel ils ont cessé de croire?

Hourra! Le monde des illusions ne me prend que quinze minutes, car j'ai compris l'astuce tout de suite. L'accès au tableau suivant m'est donc possible sur-le-champ. Je le savais: pour moi, ce jeu, c'est du gâteau! C'est grand-maman qui sera impressionnée par mes prouesses.

Midi, mes parents ne sont pas encore de retour. On mange des tartines et Circée se désole de ne pouvoir aller dehors. Elle se met à pleurer en regardant par la fenêtre. Mais que font mes parents? La neige va fondre sans que Circée ne puisse la voir de près. Je leur donne jusqu'à 13 heures, s'ils ne sont pas encore arrivés, j'irai quand même au parc avec elle; c'est à côté. Mes parents s'inquiètent trop... Ce n'est pas parce que deux enfants étrangers se sont fait enlever l'autre jour dans un centre commercial que tous les enfants sont menacés. Ils exagèrent et couvent tellement Circée! En attendant, j'essaie de la distraire en l'installant près de moi pour lui faire découvrir le prochain tableau.

LA FORÊT
La chose la plus facile: se tromper
Dans une autre forêt, il faut d'abord trouver un coffre à trésor et ensuite décrocher une clé d'or pour pouvoir l'ouvrir. Cette clé est suspendue au-dessus de sables mouvants. Suivant le sentier, Magnolia se retrouve soudain face à face avec un géant portant des habits de métal, un casque de fer, une ceinture à clous et une mas-

sue. Il s'agit de Jack l'enchaîné, le terrible gardien qui surveille et obstrue l'entrée de la grotte où se trouve le trésor. Voyons... Magnolia a maintenant un jeu de cartes et un os. Je sélectionne l'os et clique sur *Donner au personnage rencontré*. Ah! Comme c'est simple! Le gros Jack commence à grignoter, à ronger l'os avec ferveur. Il est tellement distrait que Magnolia peut pénétrer dans la caverne et prendre le coffret. Elle va près des sables mouvants pour récupérer la clé qui se balance juste au-dessus. Mais là, il faut sauter très haut et le poids du trésor additionné à celui du bébé sur les épaules semble empêcher l'élan. Une fois, elle tombe dans la mare visqueuse avec le bébé, juste sur le bord. Je réussis de justesse à les tirer de là, mais Migno a perdu une botte dans le sable mou qui avale tout. Magnolia recule de plusieurs pas pour se donner un élan, mais alors, elle rencontre une dame verte: la Glésine. Cette très belle femme cache, sous une grande cape vert émeraude, des attributs caprins; son corps élancé est moitié chèvre, moitié femme. Elle cache aussi ses intentions... Elle se met à chanter:

Du bébé je peux m'occuper
Avec l'instinct le plus maternel
Pendant que tu récupéreras la clé
D'un trésor de polichinelle.

Ici le jugement du joueur est important. Le

temps presse de plus en plus, il ne me reste que dix minutes.

On dirait que Magnolia ne peut répondre à la commande que je passe: *Déposer le bébé*. Il faut que je clique plusieurs fois sur l'icône pour que ça fonctionne enfin. Elle se soulage de ce poids, confie Migno à la Glésine et repart pour récupérer la clé sans trop d'effort. Avec la clé, elle ouvre le cadenas et soulève le couvercle du coffre. Rien! Il n'y a rien qu'un message qui dit ceci:

Le regard d'un enfant brille de mille feux
Bien plus étincelants que pierres et or.
Au monde, qu'y a-t-il de plus précieux
Que ces yeux, véritable trésor?

Lorsque Magnolia revient à l'endroit où l'attendait la Glésine, il n'y a plus personne, plus de dame verte, plus de Migno. La Glésine a disparu mais elle a laissé des traces... de chèvre. Magnolia doit suivre ces traces qui mènent au prochain tableau: la spirale.

Sur ta solitude, pleure,
Partout, emporte la clé.
Pour expier cette grave erreur
Il te faudra continuer.

Heure complétée, séance terminée, basculez vers la vie quotidienne.

Flûte! Comment ai-je pu être aussi dupe et me tromper sur l'essentiel? J'aurais bien pu me douter d'une supercherie dans un jeu qui prône les valeurs humaines! Pas de temps à perdre avec ces valeurs dans un jeu vidéo! En fait, je n'ose avouer cette erreur de jugement qui, au fond, a touché mon orgueil. Mon humeur s'est rembrunie pour de bon.

Treize heures et toujours pas de nouvelles des parents. Fort ennuyée, j'habille ma sœur en vitesse. Bien sûr, celle-ci n'a trouvé aucune paire de bas qui soit assortie et rejette ceux que je lui propose. Elle n'a que sa flûte dans les mains. Je la lui arrache. Oh non! Elle ne l'apportera pas dans le parc, elle ne me cassera pas les oreilles avec son instrument de torture. Impatiente, j'enfile à Circée une seule chaussette sur le pied gauche, puis lui mets les bottes rouges. Pour remplacer sa flûte, elle attrape en hâte son dragon. Il faut toujours qu'elle tienne quelque chose dans ses mains. Nous partons enfin vers le parc situé à quelques pas de chez nous.

La ville prend vie en ce début d'après-midi. Le TGV traverse le long viaduc au-dessus des autoroutes, les tours d'habitation chatouillent les nuages bas; on entend au loin la rumeur de l'usine Bombardier où l'on construit des navettes spatiales. Nous traversons le pâté d'édifices pour atteindre la piste cyclable le long du boulevard longeant la crête du plateau. De cet endroit, le panorama vers le nord de la ville est enchanteur: on voit, jusqu'aux montagnes à l'horizon, un paysage figé sous le blanc de la neige, découpé à l'arrière-plan par un ciel gris acier. Les toitures noires s'encapuchonnent de blanc. On jurerait que l'éclairage jaillit des édifices, des routes et des terrains, au lieu de descendre du ciel. Mais lorsque je ramène le regard à mes pieds, c'est une autre réalité qui m'attend: la belle neige blanche, une fois fondue sur la chaussée, forme une sorte de sauce à poutine, une bouillasse qui colle aux chaussures. Circée tire sur la manche de ma veste. On continue.

Nous rencontrons un groupe de personnes âgées ondulant au rythme d'une marche allègre. Ce sont les membres du club de marche Sur le bon pied. Ils s'adonnent à cette activité trois fois par semaine et en profitent pour bavarder, rigoler et échanger les derniers potins. Ils s'arrêtent pour embrasser Circée et lui faire des câlins. Sans doute à cause de mon air mal luné, ils ne m'adressent que de rapides bonjours. Sont-ils intimidés ou embarrassés par ma présence?

La gadoue de la route souille mes espadrilles, et Circée, avec mille précautions, fait des pas de géant pour marcher exactement dans mes traces afin de ne pas salir ses belles bottes rouges. Vivement, j'accélère le pas pour atteindre le parc qui sera, je l'espère, moins dégueulasse. Mes bas sont trempés. Ma compagne a peine à me suivre, elle doit maintenant sauter d'une trace à l'autre.

Enfin, on atteint le parc aménagé près de la

ligne de pylônes. À l'extrémité du terrain en pente, en guise de forêt, des arbres ont été plantés en bouquets serrés à travers lesquels se faufile un sentier pédestre. À l'entrée, il y a un écriteau: *Viens t'égarer au bois et retrouver l'itinéraire d'un monde féerique. Se perdre en forêt, tourner en rond, c'est pénétrer dans l'insondable univers de l'imagination.* C'est ridicule, comment pourrait-on se perdre dans un si petit bosquet?

La neige, blanc pur, absorbe, feutre, filtre les sons. Au début, Circée me suit joyeusement, mais après un certain temps, elle semble avoir de la difficulté avec sa botte droite qui galoche sans cesse. Elle aurait mieux fait de m'écouter et d'enfiler deux bas.

Le soleil perce les nuages et un rayon inonde le bosquet. Soudain, un oiseau fait retentir une trille à faire vibrer les cœurs. Un oiseau ici? Quel miracle! C'est sans doute un spécimen exotique, échappé de quelque cage dorée du foyer des aînés, parce que les oiseaux en ville, c'est plutôt rare. Je me dirige vers le virtuose pour en identifier l'espèce. J'essaie d'expliquer à Circée, qui n'a jamais dû voir d'oiseaux de sa vie, ce que je veux faire. J'imite le vol d'un oiseau en collant mes pouces et en agitant les mains. Puis, je place l'index sur mes lèvres et, de l'autre main, je lui fais signe de rester calme et d'attendre là sans bouger. Elle essaie de me suivre malgré tout. Impatientée, je me retourne une dernière fois vers elle. Elle semble troublée et me montre sa jambe droite enfoncée dans la neige épaisse. Même si elle tente de retirer son pied, sa botte reste coincée. C'est bien. Comme ça, elle ne bougera pas de là et j'aurai tôt fait de venir la récupérer dès que j'aurai vu cet oiseau.

Après quelques minutes de marche, je ne parviens pas à rejoindre le volatile qui a dû s'envoler vers d'autres cieux. Lorsque je reviens sur mes pas, la petite Circée n'est plus là. Mon Dieu! Restons calme! Les pistes, où vont les pistes?

Je n'arrive pas à repérer les traces dans la neige qui fond maintenant à vue d'œil sous les percées de soleil de plus en plus fréquentes. C'est un mystère! Peut-être s'est-elle encore cachée pour me jouer un tour? Je crie, mais à quoi bon, même si je hurlais, elle ne pourrait pas m'entendre. Il ne faut pas prendre panique mais plutôt agir avec méthode. D'abord, je ratisse les bosquets entourant le périmètre de l'emplacement où je l'ai vue la dernière fois, puis je cherche dans un rayon plus large, puis encore plus large, décrivant une sorte de spirale dans les fourrés. Encore, je refais en marchant le parcours du sentier au complet, ma tête pivote sans cesse à gauche, à droite, mes yeux scrutent derrière tous les troncs d'arbres. Je cherche sous les branches basses. De l'extérieur, ce bosquet me semblait minuscule. Depuis que j'y ai mis le pied, on jurerait que l'espace se multiplie de l'intérieur, désobéissant aux dimensions et aux cadres réels.

Infinies paraissent les frondaisons. Mais où est-elle? C'est sûrement un cauchemar, je vais me réveiller. C'est le scénario que je viens de traverser dans FATA CREDO qui me donne des hallucinations. Suis-je dans ce jeu ou bien est-ce lui qui est en moi? Je me pince fort, ça fait très mal!

Trois heures, ça fait trois heures que je cherche! Circée ne serait pas restée cachée si longtemps. Si elle avait eu sa flûte, elle aurait pu m'avertir en soufflant trois coups secs, selon le code de danger que je lui avais appris, mais je lui ai interdit moi-même de l'apporter. A-t-elle tenté de crier? A-t-elle gémi? Je ne l'aurais même pas entendue.

À la fin de la journée, la neige a complètement disparu. Maintenant, je cours, trébuche, me relève rapidement, essoufflée, en sueur, les cheveux collés sur le front et les joues. J'ai oublié mes espadrilles trempées et mes crampes au ventre, je refuse de me rendre à l'évidence. Encore une fois, je reviens à l'endroit où était ma sœur la dernière fois que je l'ai aperçue avec son visage convulsé de peine. Sur le sol, près d'une racine saillante, j'aperçois une petite botte rouge, une seule. Je ramasse la chaussure et tombe à genoux en pleurant, en criant. En silence, la neige et ma sœur ont disparu.

— MAMAN! MAMAN! J'ai perdu Circée!

Comment rentrer en portant cette terrible nouvelle à la maison? Chaque pas résonnant sur le béton, chaque battement de cœur m'éloigne maintenant du contact de ma sœur. Les réverbères de rue s'allument. Le ciel noir se referme sur le bosquet. Où est Circée? J'ai perdu ma petite sœur!

En route, j'échafaude différents scénarios et l'espoir, plus fort que tout, me fait retenir ceux-ci: peut-être est-elle déjà à la maison, peut-être est-elle rentrée toute seule? Ou bien quelqu'un l'a sans doute ramenée? Mes parents l'auront accueillie et ils seront tous à la maison à mon arrivée.

Tant de faux espoirs. Deux autopatrouilles sont stationnées devant l'édifice où nous habitons. Je dissimule la botte dans la poche de ma grande veste et traverse le seuil sous un bombardement de questions. Maman se met à hurler en constatant que je reviens seule.

Je ne me réveille pas, ce n'est pas un cauchemar. J'essaie d'expliquer sans tout dire: je raconte les supplications de Circée qui voulait tellement aller dehors, la marche jusqu'au parc, le chant de l'oiseau, l'indication à Circée qui devait m'attendre sans bouger, ma courte absence et sa disparition mystérieuse et soudaine. Ma mère crie de désespoir. Afin de protéger ce qui reste de moi et pour ne pas amplifier la douleur, j'escamote l'épisode du pied enfoncé dans la neige et le fait qu'elle ait essayé de me suivre quand même. Malgré cela, je ne récolte que haine et colère. Dès lors, je préfère m'emmurer dans le silence, les remords et la culpabilité.

Jamais autant de recherches n'ont été faites pour retrouver une enfant. Jamais un parc n'a été tant chamboulé. Et seulement à ce moment, bien par hasard, je comprends pourquoi mes parents avaient si peur que Circée se fasse enlever.

En épiant l'une de leurs conversations avec les policiers, j'apprends que Circée est une enfant qui a des caractéristiques physiques assez rares: son groupe sanguin et son groupe tissulaire sont ceux du donneur universel. C'est dire que son sang et ses organes sont compatibles avec tout organisme humain en attente d'une greffe. Mes parents tenaient cette information secrète, voici pourquoi: depuis plusieurs années, le Comité de bioéthique a interdit toutes manipulations génétiques, les fécondations *in vitro*, le clonage et l'entretien d'organes indépendants. En contrepartie, des trafiquants d'organes procèdent à de fréquents enlèvements d'enfants, dans plusieurs pays. Il paraît que les ravisseurs enferment ensuite leurs prises comme du bétail dans des immeubles secrets pour entretenir un commerce bien particulier: le trafic d'organes. Ils vendent à prix fort un foie, un cœur, une paire d'yeux à des individus richissimes dont les bébés sont malades. Quelle histoire d'horreur! Les organes de Circée auraient, d'après les explications de papa, une valeur inestimable sur le marché de cette boucherie noire.

De toutes les hypothèses émises, celle d'un enlèvement par les trafiquants d'organes prévaut.

Pour l'instant, pas question d'annoncer la nouvelle à Ibéris. Mes parents et les thérapeutes conviennent qu'il est préférable d'attendre car son état fragile risquerait d'empirer. Ils me défendent de la visiter de peur que je lui dévoile la terrible vérité.

Après trois semaines, ma mère, toujours en larmes dès qu'elle voit les jouets et vêtements de Circée, décide de faire disparaître ces arrache-cœur au cours d'une sorte de cérémonie de deuil prévue pour la fin novembre. Même la flûte. Mais, le jour venu, elle se ravise; au lieu de brûler les objets, elle les empile dans des caisses et les fait entreposer. J'ose croire qu'elle garde une lueur d'espoir. Pour elle, comme pour moi, Circée est quelque part en transit.

J'ai pu sauver la botte rouge dont je n'ai parlé à personne et les huit figurines de Walt Disney. Circée les avait oubliées sous le lit lors de son dernier passage dans notre chambre. C'est tout ce qui me reste d'elle. Dans ma solitude, j'entretiens la conviction de la retrouver.

Maman ne me parle plus, elle s'éloigne de moi comme si j'étais la peste en personne. Et, même après avoir soustrait de sa vue les souvenirs de la petite, l'image de celle-ci reste imprégnée dans les pièces, les murs, les tissus, jusque dans l'air de notre logement. Notre environnement et ma présence lui deviennent intolérables. La tension entre papa et elle s'aiguise de plus en plus, à tel point que l'agressivité et la discorde s'installent dans leurs rapports quotidiens. Ils couvent en eux une peine si grande qu'ils ne peuvent se consoler mutuellement. Maman fait continuellement des crises au cours desquelles elle me condamne. C'est insupportable!

En décembre, juste avant Noël, mes grands-parents décident d'emmener maman en voyage pour la retirer de cette impasse, puis elle ira habiter avec eux pendant quelques semaines, dans leur maison de campagne en Estrie.

Jeanne a le don de réconforter, d'apaiser la douleur des cœurs. Elle dit à maman:

— Une séparation temporaire pourra te faire du bien. L'air de la campagne, l'ambiance des serres et de la pépinière aussi. Il faut que tu changes de décor. Vous vous faites plus de mal que de bien présentement en restant ensemble. Sans culpabiliser Savo davantage, tu pourras laisser monter tes pleurs, tout le chagrin et la révolte qui feront surface; les flots de larmes peuvent purifier les émotions. Thomas et moi pourrons te supporter.

Avant de partir, cette douce grand-mère me prend à part. Elle entoure mes épaules de son bras. Elle a sûrement senti mon besoin de parler, de me confier. Je lui débite mes aventures noires ainsi que la suite des tableaux que j'ai traversés la journée de la disparition de Circée.

Comment Migno a perdu une botte dans les sables mouvants du tableau *La forêt*; ma mauvaise interprétation de la définition du «vrai trésor» et comment, finalement, Migno a été emportée par la Glésine.

— Pauvre Savo, comment peux-tu avoir le cœur à me parler de ce jeu maintenant? D'abord, du plus loin que je me souvienne lorsque j'ai conçu le jeu, le personnage de Migno ne portait pas de bottes, mais des sandales. Il n'y avait pas de sables mouvants. Peut-être me parles-tu d'un autre jeu ou d'une version que tu as modifiée? Tu dois être bien perturbée... N'oublie pas que ce n'est qu'un jeu, Savo. Ne perds pas ton énergie à recoller les événements d'un jeu informatique à la réalité. Se réfugier dans l'imaginaire peut être une belle échappatoire, mais tu vas trop loin. J'ai donné le disque à Ibéris pour qu'elle s'amuse tout simplement, pour lui faire partager la magie de ces personnages merveilleux... Peut-être n'aurais-je pas dû... Comment et pourquoi la magie se retourne-t-elle contre nous parfois? Abandonne la partie maintenant, cette distraction n'en est plus une pour toi, ça devient même dangereux.

— C'est bien mon intention, j'ai si peur, si mal!

— Ma belle Savo, viens un peu dans mes bras. Colle-toi contre moi. Tu as subi un terrible choc, ta perception du réel s'embrouille, toute ta vie émotive se fige. En plus, tu traînes une culpabilité obsessive. Écoute-moi bien et dis-toi toujours que tu ne l'as pas voulu, tu n'as pas couru après... Tu ne voulais pas perdre Circée. Ce n'est pas ta faute! Tu voulais lui faire plaisir en l'amenant au parc. J'entends presque ton cœur hurler de révolte, avec tous ces «pourquoi?». Tu as le droit de pleurer, d'être en colère... laisse-toi aller. La colère est une meilleure réaction que le ressentiment. Si elle peut sortir, la colère pourra un jour disparaître, mais la culpabilité et le ressentiment resteront et te grugeront de l'intérieur. Je suis là pour toi. Garde espoir, ta sérénité reviendra, l'amour de ta mère et aussi...

— Et mes deux sœurs?

— Ibéris n'est plus en danger maintenant, pour Circée, il faut prier...

— Prier qui, comment? Je ne connais pas de prière...

— Tu n'as pas besoin de connaître de longues formules toutes faites. Tu n'as qu'à dire, comme à un ami, ta tristesse, ta détresse, ton état d'âme et demander du réconfort. Quand tu pries, il y a toujours des êtres qui t'entendent, même si leur présence n'est pas apparente. C'est comme une magie, un mystère, mais ça fait toujours du bien.

Jeanne me berce comme si elle berçait son bébé. Elle récite des prières que je ne connais pas, à un dieu dont les volontés m'échappent. Je veux m'évanouir à cet instant et ne plus me réveiller.

Je ne sais pas combien de temps nous sommes restées dans cette position. Grand-maman m'a réveillée doucement pour m'annoncer qu'il était temps pour elle de s'en aller. Elle a déposé un baiser sur mon front en me disant qu'elle devait parler à papa.

— Ne perds pas espoir. L'espoir est ce qui fait vivre.

⁂

Mon père fait son possible pour me distraire à travers un chagrin qui le tourmente lui aussi. Il communique quotidiennement avec les services de police pour connaître l'évolution de l'enquête. Je n'ose toujours pas lui parler de la botte, j'ai trop peur des conséquences. Nos conversations restent superficielles, anodines le plus souvent.

J'ai développé une autre façon de regarder autour de moi. Le monde m'est hostile et méchant. Si Circée est toujours vivante, que devient-elle? Qu'il est pénible de vivre en ignorant le sort d'une enfant que l'on aime et à qui on n'a même pas pris le temps de le dire. C'est comme si toute ma vie avait été reliée à cette fillette, sans que je ne m'en rende compte. Le reste a basculé depuis qu'elle n'est plus là et je ne peux me racheter d'aucune façon, sauf si je la retrouve avant que maman ne revienne. «Garder espoir, l'espoir fait vivre», m'a dit Jeanne. Je dois y arriver.

Chaque nuit, je rêve aux retrouvailles de Circée; chaque jour, je retourne au parc avec l'espoir de la voir. Pendant ce temps, papa et moi, on survit à la solitude, maquillant le quotidien de gestes routiniers. Malgré les crampes dans mon ventre, malgré la boule dans ma gorge, malgré la douleur dans mon cœur, j'essaie de m'accrocher à un horaire, à une vie organisée: les cours sur le MIROIR, une marche au parc, le ménage chez madame Olga et monsieur Edgar, la lessive. Les moindres gestes me demandent beaucoup d'énergie, même manger; j'ai perdu l'appétit et plusieurs kilos. Mes vêtements ne me vont plus, j'ai fait des torchons avec le pantalon vert dont le tour de taille m'enveloppe deux fois. Les vêtements d'Ibéris me dépannent en attendant que me vienne le courage d'en acheter des nouveaux. Quant à FATA CREDO, terminé! Je ne touche plus à ce jeu!

Le moment le plus important se déroule le soir, dans ma chambre, avant de m'endormir. Dans le rectangle formé par la lumière des néons extérieurs traversant la fenêtre, à l'insu de toute conscience humaine autre que la mienne et peut-être celle de Circée, bras en croix, paumes tournées vers le ciel, mes incantations montent vers le cosmos. Jeanne m'avait conseillé de prier pour ma petite sœur et, comme je n'ai pas appris à le faire, j'ai inventé le rituel de la demi-présence.

Chapitre 7
Le rituel de la demi-présence

Quand la solitude nocturne se présente à ma porte, j'exécute la cérémonie. Contrairement à ma mère, il ne s'agit aucunement d'une cérémonie de deuil, mais plutôt d'un appel et d'une foi en la demi-présence d'un être égaré. Après m'être assurée que la porte est bien verrouillée, je dispose sur l'édredon les huit personnages de Circée et la petite botte que je conserve dans un sac de plastique. Ensuite, je m'agenouille au pied du lit et étends les bras de chaque côté du corps. La concentration au maximum, les souvenirs de Circée défilent en mon esprit comme une bande vidéo. Puis, je formule des prières pour la retrouver. Je tiens cette position jusqu'à ce que la douleur dans les bras devienne insupportable et même au-delà. Ma prière a deux ailes: l'une pour les retrouvailles de Circée, l'autre pour la guérison d'Ibéris. Ces souhaits s'envolent dans un pays qui, j'espère, existe. Interdit de pleurer car, dans ce rituel, les pleurs seraient signe d'échec, de laisser-aller, d'abandon. Je tiens la promesse éternellement et la position durant une heure. Il arrive qu'au bout de ce temps, je perçoive un frôlement, un souffle, une caresse; je sens presque une présence.

On ne sait pas encore quand Ibéris pourra revenir. Son état n'a guère évolué. Elle n'a pas répondu aux lettres que je lui ai fait parvenir. J'ai besoin d'elle plus que jamais. Comment le destin a-t-il pu me retirer mes deux sœurs et ma mère à la fois? Tout est de ma faute. Si je pouvais au moins communiquer avec Ibéris par messagerie électronique ou par vidéophone! Étant donné que cette passerelle pour la rejoindre est interdite, j'utilise, comme l'ont fait bien des gens dans l'histoire «ancienne», une simple feuille blanche et un crayon. Lentement, les caractères d'écriture cursive s'alignent sous des gestes précis. Je décide de lui dévoiler les faits.

Chère Ibéris,

Le texte qui suit ne réglera probablement pas tes angoisses; au contraire, je crains de t'enfoncer plus creux avec moi. Vois-tu, tant d'événements étranges, tant de hasards impossibles sont survenus que le doute tourne à la certitude. Tu dois m'en dire plus, ton silence va nous perdre, Circée, toi et moi. Tu dois m'aider!

Ça se passe d'abord dans le jeu FATA CREDO, comme si l'action du jeu se transposait dans la vie réelle. Il y a eu Dame Holle avec sa chanson à propos de poussières qui se métamorphosaient en flocons blancs; le lendemain, il a neigé chez nous. Ensuite, Migno a perdu une botte dans des sables mouvants. Eh bien, le même jour à la maison, les bas de Circée disparaissaient dans la laveuse. Et puis encore, dans le cinquième tableau, celui de la forêt, j'ai mal joué: j'ai fait faire le mauvais choix à Magnolia. Elle transportait, en plus de Migno, un coffre à trésor. Il fallait qu'elle conserve son trésor et j'ai cru, à tort, qu'il s'agissait du coffre. En réalité, il fallait penser humainement, alors, le plus cher trésor, c'était Migno. Et, dans l'heure d'après, j'ai perdu Circée au parc. Je l'ai laissée sans surveillance quelques minutes et elle a disparu. On ne l'a pas retrouvée!

Papa ne voulait pas que je te l'apprenne, mais je n'en peux plus. Il y a un lien entre les deux. Grand-maman m'a dit que c'était impossible. Je n'ose même plus ouvrir l'ordinateur tellement j'ai peur des conséquences.

Les personnages que tu vois sont-ils toujours autour de toi? Sont-ils de FATA CREDO? Est-ce qu'ils te parlent? Ne disais-tu pas qu'ils t'invitaient à les suivre? Qu'ils voulaient jouer avec les enfants? Il faut que tu me dises... Y a-t-il une solution dans le jeu? Si Magnolia retrouve Migno, crois-tu que Circée serait de retour chez nous?

Savo, la peine

Une semaine plus tard, une lettre m'attendait sur la table de cuisine. Un bien trop court texte...

Bonjour, Savo!
Crois-tu en ces êtres possédant la science de l'enchantement, qui ont le pouvoir d'influencer le

destin des mortels et de les doter de dons surna-
turels? Crois-tu que Circée est avec eux?

N'est-ce pas que c'est difficile à comprendre?
Plus tu donneras d'explications aux gens qui t'en-
tourent – même à ceux qui t'aiment beaucoup –
plus tu risques de te retrouver ici, avec moi. Per-
sonne ne te croira. Alors, fais attention!

C'est étrange car dans la partie que j'avais
entreprise, Migno ne portait pas de bottes, elle
avait des sandales aux pieds. Et puis, il n'y avait
pas de sables mouvants! J'en étais au tableau dix
et n'avais pas perdu le bébé. On dirait que tu es
dans une autre partie et pourtant, selon les ins-
tructions, on ne peut commencer une autre partie
tant qu'on n'a pas terminé la première. À croire
que la programmation a été modifiée...

La mission primordiale est de récupérer
Migno. Tu dois poursuivre la quête. Maintenant,
cela dépend de toi. Jeanne nous l'a dit: il faut de
la ténacité et de la détermination. Commence,
continue, termine!

N'abandonne surtout pas! Si je me tiens bien,
je crois pouvoir retourner à la maison dans deux
semaines.

Tu me manques,
Ib.

Le lendemain matin, inquiet de ne pas me
voir debout à 9 heures, papa entre en silence dans
ma chambre. Il me retrouve, à genoux près du lit,
le tronc couché sur le matelas, les bras bien éten-

dus de chaque côté du corps. J'étais tombée endormie sur le lit, toujours en position du rituel de la demi-présence... Très incommodée qu'il m'ait surprise dans mes secrets, j'essaie en hâte de dissimuler les jouets de Circée, certaine qu'il voudrait me les prendre et les détruire. Malheur! La botte n'est plus là. Voyant mon affolement, papa, la voix remplie d'émotion, dit simplement:

— Oh! Quelle bonne idée d'avoir conservé ces jouets-là. Veux-tu m'en prêter un? Je pourrais le cacher dans mes poches et garder Circée plus près de mon cœur?

— Bien sûr, mais j'aimerais mieux que maman ne le sache pas. Elle aurait encore plus de peine. Elle m'enlèverait les seuls souvenirs matériels qui me restent de ma petite sœur.

— Ne t'inquiète pas... Je fais tout pour protéger ton cœur et celui de Marie-Laurence.

— Veux-tu la figurine du bébé? C'est la plus mignonne.

En serrant fort le bébé dans sa main chaude, il me demande si je veux des crêpes pour déjeuner et il sort de la chambre, l'air mélancolique.

Dès qu'il quitte mon champ de vision, je cherche fébrilement la botte. Je me penche, regarde sous le lit. Enfin, je la vois sous les plis du jupon. Ouf! Elle a dû choir là lorsque mon corps s'est affalé sur le matelas hier soir. Je la serre sur mon cœur et caresse le cuir doux. Circée me manque tant! Son absence pèse de plus en plus lourd. En remuant la botte, je me rends compte qu'il y a quelque chose au fond. À ma grande surprise, en la retournant, il en sort un objet que Circée traînait partout juste avant de disparaître: le dragon métallique qu'Edgar lui avait donné l'automne dernier... étrangement identique à celui parcourant les ruines du monastère. Depuis quand est-il là? Je m'en serais rendu compte, il me semble. Maintes fois, j'ai inspecté cette botte sous toutes ses coutures. Quelqu'un l'y a-t-il mis? Qui donc?

⁂

Jeanne disait à Ibéris: «Toutes les solutions sont en toi...» J'ai beau réfléchir, analyser les faits... les solutions ne viennent pas vite. Il doit bien y avoir une lumière en haut de ce trou noir. Pour l'instant, c'est le néant, un ravin sans fond. Suis-je victime de sorcellerie, d'une maladie? Que signifient ces coïncidences entre une botte, un dragon et un jeu informatique? De l'aide, il me faut de l'aide! Edgar ou Olga pourraient-ils m'aider? Après tout, ce sont eux qui ont fait cadeau de ces objets à Circée. Pourrais-je leur faire confiance? Ibéris m'a bien mise en garde: «Personne ne te croira...» et il me paraît plus sage de suivre ses conseils.

Prenant alors mon courage à deux mains, je m'assois devant l'ordinateur. Mon reflet déformé sur la vitre m'observe longuement et semble me dire: «Viens, traverse l'écran, viens percer les mystères de l'autre côté de ce faux miroir.» J'appuie sur les boutons de contact. Le ventilateur du boîtier principal se met en marche, l'écran s'allume. En entrant dans la partie entamée depuis plusieurs semaines, le prochain tableau m'aspire littéralement.

LA SPIRALE

La meilleure façon de grandir: l'épreuve

Il faut accéder au sommet d'une montagne par un chemin en forme de spirale qui s'entortille sur les pentes. Et qui est-ce qui nous attend en haut? Un vieux Sage maigre et faible, comme de raison. Jeanne a manqué là d'imagination! Il donnera des énigmes et des indices si on réussit à le rejoindre. Mais, justement, avant de pouvoir lui parler, il y a sept épreuves à traverser le long du parcours: la solitude, la force, la vérité, le courage, le renoncement de soi, l'évolution et le dépassement.

Pour réussir les sept épreuves, il m'a fallu douze jours à raison d'une heure par jour; des heures volées en cachette. À ce rythme-là, l'issue du jeu entier verra le jour aux calendes grecques seulement!

Enfin, sur le faîte de la montagne, le Sage donne les indices suivants:

Ce sommet est la passerelle entre terre et nuages
Où les frontières de l'être se soulèvent au grand vent;
On dit que jeûne et méditation rendent sage,
Moi, je peux te donner les conseils suivants:

Le Pisteur peut suivre à la trace
Celui qui va pied nu avec audace.
Si tu lui fournis une odeur,
Il pourra te mener au porteur.

À la sortie du tableau, ce chant apparaît dans l'encadré imprimable:

Combien de fois, sur le parcours,
Faut-il rebrousser chemin
Pour revenir à ce carrefour,
Sauver celui qui quémande du pain?

Je tiens Ibéris informée de l'évolution du jeu. Hier, elle m'a enfin écrit, dans une lettre confuse, des propos inquiétants.

Je ne me suis pas rendue aussi loin que toi dans la quête. Tu es toujours la meilleure dans ces jeux-là. Par contre, j'avais remarqué que depuis l'intégration des fichiers d'Image-anima, le jeu ne fonctionne plus comme avant. Magnolia est capable de prendre des décisions. Crois-tu possible que les personnages de ce jeu «empruntent» les enfants? Si c'est le cas, le delirium virtualis n'existe pas. Des entités nous entourent, partout. On dirait que moi seule arrive à les voir. N'en dire mot à personne et faire semblant de rien: c'est la seule façon de sortir d'ici.

Ib.

Ibéris pourra-t-elle enfin quitter ce centre de réhabilitation? Quoi qu'il en soit, je poursuis la quête de FATA CREDO. Je me rends compte qu'elle a raison sur un point: il m'est presque inutile de guider les actions du personnage principal avec la manette. Je n'ai qu'à me concentrer et à suivre Magnolia. Elle agit parfois sous ma volonté, parfois à partir de ses propres déductions. Par moments, j'ai l'impression que nous ne formons qu'une dans une autre dimension.

AU FOND DU TERRIER
Ce qui fait vivre: l'espoir
Selon les indices du sage, il faut trouver le Pisteur, mais avant tout, trouver la pièce recelant l'odeur de Migno: j'ai pensé que ce pouvait être la botte perdue dans les sables mouvants. Magnolia retourne donc vers les bords de la mare et cherche la façon de récupérer la botte sans être engloutie dans la masse visqueuse. Ce passage me prend beaucoup de temps. Magnolia essaie avec des cordages, des bouts de branches, en enfonçant un bras, en s'accrochant les pieds sur une bûche et en enfouissant la tête dans la mare... la fin reste la même, elle se fait engloutir.

Après tous ces essais infructueux, je lui fais prendre la direction d'un terrier situé près de la mare. Elle s'y engouffre. Au fond d'un long souterrain, elle arrive dans l'antre du Mineur, un nain troglodyte[7]. Il récupère les objets qui s'y enfoncent. Celui-ci raconte alors qu'il a bien retrouvé une botte, mais qu'il l'a confiée au Lèprechien, ce lutin qui n'a rien de particulier en apparence, sauf qu'il a les pieds devant-derrière. On ne peut percevoir ce détail facilement à cause de la longue toge qu'il porte. La seule manière de le débusquer est d'étendre de la poudre légère sur son chemin et d'observer les empreintes qu'il y laissera. Cette malformation lui a fait développer un amour particulier pour les souliers, même s'il ne peut lui-même en porter. Il les collectionne dans une boutique où les paires n'existent pas. Soudain, le mineur se met à frapper le roc de son marteau et scande une chanson:

Quand le Lèprechien a trouvé chaussure,
L'apporte avec lui pour la réparer,
Puis la cache en lieu sûr
Dans sa boutique de cordonnier.

Pour reconnaître le Lèprechien,
Te faudra regarder les pieds
De tous les habitants de la ville des lutins,
Mais aucun ne voudra te les montrer.

Alors, montre-toi fine,
Utilise le truc de la farine.

---

7. *Qui habite une demeure aménagée sous la terre, une grotte, une caverne.*

Heure complétée, séance terminée, basculez vers la vie quotidienne.

Le lendemain, dimanche, pendant que papa récupère le sommeil d'une nuit blanche, je me promets d'aller à la rencontre du Lèprechien et me retrouve, par le truchement de Magnolia, dans le tableau suivant:

LA VILLE DES LUTINS

La pire ennemie de l'évolution: la paresse

Je suis toujours surprise de constater la netteté des images de ce jeu. Par exemple, dans la ville des lutins, Jeanne a pris le temps de créer un décor animé, des maisonnettes colorées avec volets et équerres de dentelles aux galeries, des porches à volutes et colonnades. Des fleurs coulent aux fenêtres; la musique d'un orgue de barbarie s'élève comme dans une foire. Certains habitants marchent en groupes, d'autres se bercent sur les perrons et jasent, d'autres encore jouent aux billes, aux osselets ou avec des boules argentées dans les allées. Aucun ne travaille. Ils portent des costumes identiques, ce qui les rend tous semblables: des petits hommes habillés d'une longue tunique et d'un chapeau pointu à large bord. Ils paraissent âgés. Fanfarons, pour eux, tout est prétexte au jeu (quilles, dés, cartes, roulettes, courses, danses, tirages au sort, tic-tactoc, etc.). Par-dessus tout, ils convoitent l'or. Ils sont joueurs de tours et subtilisent les objets pour les échanger contre d'autres trésors. Le Lèprechien doit se fondre à travers eux.

Magnolia avance parmi la joyeuse troupe sur une route pavée de pierres plates. Comme les lutins adorent jouer, en chantant, ils lui demandent d'arbitrer leur prochaine course et d'offrir un prix au gagnant, sinon les lutins la menacent de lui voler ses chaussures. Je ne sais pas où doit mener ce scénario. Tout ce qu'il faut pour l'instant, c'est de la poudre fine comme de la cendre ou du talc. Dans ce monde, je sais qu'il faut en étendre sur le sol pour repérer des traces étranges, celles du Lèprechien. Alors, avant d'organiser cette course, demandons-leur simplement de la poudre, noire ou blanche, par l'intermédiaire de la boîte de dialogues. Mais voici ce qu'ils répondent:

La farine est au moulin,
Et on a déjà notre pain.
Que nous donneras-tu en échange
D'une miche cuite ce matin?

De la farine, ce serait parfait! S'ils veulent donner une miche, c'est qu'elle doit servir plus tard. Faisons l'échange. Magnolia leur offre le jeu de cartes magiques contre le pain. Elle explique aux vieux lutins qu'elle doit trouver des éléments qui seront utiles à l'organisation de la course, puis elle repart vers le monde du moulin. Elle sait ce qu'elle a à faire.

LE MOULIN
La meilleure arme contre vents et marées: la volonté

Maître Pierre, un lutin-meunier, pleure sur l'aile morte de son moulin. Magnolia lui demande de la farine, mais l'autre est confus: il n'y en a plus car, depuis longtemps, le moulin s'est arrêté avec la tombée du vent. Les sylphides, génies aériens, princesses des tempêtes, font les paresseuses et ne créent plus les ondulations qui faisaient naître le vent.

Apporte-moi du vent,
Moudrai grain et froment.
Une poussière blanche volera dans la lumière,
La farine jaillira sous le roulement de la pierre.

Ah! Ça va mal... Rien n'est simple. Il faut maintenant aller dans le tableau des sylphides: la Sylphirie. Voilà Magnolia partie vers la passerelle: le seul moyen d'accéder à la Sylphirie est d'utiliser ce pont dont parlait le Sage. Il faut regagner la spirale, le plus haut sommet. Le deuxième conseil du vieux doit donc être mis en pratique.

Magnolia donne le pain au Sage qui se meurt de faim; le lutin, en plus de lui donner accès à la passerelle, lui remet une girouette colorée en disant:

Le temps te fait défaut,
Le temps te tient prisonnière,
L'écoulement du sable liquéfie ton cerveau.
Le temps remporte, le sablier est ta pire frontière.

Il n'y a pas d'horloge au pays des sans âge.
Le temps est invention humaine,
Un repère pour la mémoire en cage.
Brise ce fil qui te fait grand peine.

Heure complétée, séance terminée, basculez vers la vie quotidienne.

C'est trop frustrant! Magnolia et moi étions sur la bonne voie. À ce stade-ci du jeu, mon imagination turbine à cent tours à l'heure. Imprégnée par la hantise de la relation entre le jeu FATA CREDO et la vie réelle, il s'établit un exercice d'association. Dame Holle me fait penser à madame Olga, les vieux Lutins se comportent comme les aînés de ma ville, Migno représente Circée et Magnolia, c'est moi. La neige, la chaussure perdue, le dragon... il y a tant de coïncidences! Alors, s'il en est ainsi, la botte de Circée devrait-elle me servir à retrouver ma sœur? L'étrange monsieur Edgar serait-il le Lèprechien, le Mineur, le Meunier ou le Pisteur? Et qui sont la Meuve, les Sylphides et la Glésine dans mon entourage? Les voleurs d'enfants? Où sont-ils? Même si cela tient de la démence, j'ose imaginer que la poursuite du jeu pourrait me révéler la clé. Qu'est-ce que le désespoir ne nous ferait-il pas inventer? Il faut bien croire à quelque chose! disait Jeanne.

Rongée par l'impatience et la curiosité, je me lève de plus en plus tôt pour pouvoir accéder à la quête dès mon réveil. Puis, j'attends minuit pour connaître la suite. En désespoir de cause, comme une droguée, j'écoute les pièces musicales qu'Ibéris a enregistrées sur son clavier et m'enferme dans l'imagination pour recréer les tableaux, les personnages et la suite des événements. L'heure quotidienne est trop vite passée. *Le temps te fait défaut (...) Il n'y a pas d'horloge au pays des sans âge (...) Brise ce fil qui te fait grand peine.* C'est un indice. Lequel? Une seule personne peut trouver la solution: Savoyane Racine. Je vais éterniser l'heure de jeu.

Et combien simple est la solution. Les ordinateurs modernes ne sont fonctionnels que grâce au réseau central, auquel est intégrée une horloge universelle. La gestion du temps est incontournable parce que ce cadran n'est pas accessible. Cette façon de fonctionner, à travers mes apprentissages informatiques depuis mon plus jeune âge, m'empêchait d'imaginer qu'il puisse y avoir une autre façon de voir. L'ordinateur de Thomas n'est pas relié au réseau, donc, il fonctionne à partir d'une horloge électronique autonome. Il y a sûrement un moyen d'atteindre l'horloge et de la régler comme bon me semble. *Qui peut plus, peut moins!* Énoncé vérifiable en informatique. Si j'ai réussi à maîtriser la programmation complexe d'*Image-anima*, j'arriverai sûrement à déprogrammer l'écoulement du temps dans ce vieil appareil.

Voyons voir... Il y a d'abord le sablier du jeu qui, lui, est régi par l'horloge de l'ordinateur.

Après plusieurs heures de recherche dans les programmes résidents de l'ordinateur, j'ai enfin trouvé l'*Assembleur*, un outil de programmation. Celui-là utilise le langage machine C. Au début, je me sens comme Circée essayant de traduire les nouveaux langages de maman. À force de persévérance et de tâtonnements, j'ai découvert qu'il fallait atteindre les propriétés de l'objet *horloge* pour le rendre disponible et modifiable à la programmation. Une fois cette étape franchie, il faut considérer que, dès qu'elle décolle, l'horloge mesure et modifie sa lecture du temps. Je conçois donc une boucle logique, une formule qui dit à peu près ceci: *«Tant que l'horloge du jeu indique un temps différent de zéro, si temps est égal ou supérieur à 50 minutes, alors le temps égale zéro.»* Le compteur retourne donc à zéro dès que la partie excède 50 minutes.

Lorsque je retourne dans FATA CREDO, le sablier apparaissant au coin supérieur droit de la fenêtre-écran, celui qui a chronométré toutes mes parties, qui m'a causé tant de stress et de contraintes, ne se vide jamais complètement puisqu'il bascule après ce temps. L'heure complète n'est jamais atteinte.

Ce nouveau contrôle du temps me permet de consacrer jusqu'à six heures par jour à la poursuite du jeu. Tout le temps que papa passe à l'extérieur, au bureau ou au service de police. Blême, cernée, oublieuse de l'égrènement des heures, suis-je en train de sombrer dans le mal étrange qui fait perdre la raison et la notion du temps? Qu'à cela ne tienne, traverser l'écran, c'est la pure évasion!

LA SYLPHIRIE
L'ensemble des mouvements: l'harmonie
Enfin, Magnolia entre en Sylphirie, le pays des vents et des nuages. Là, elle voit les sylphides qui s'ennuient dans des replis duveteux de la vapeur d'eau. Leur chant, complainte monocorde, glisse le long des cirrus.

Nos nuages et nos tempêtes,
La mouvance de nos courants d'air,
Pour nous, ne sont plus source de fête;
Nous préférons l'inaction, ne plus rien faire.

Ici, pourtant, il faut que Magnolia récolte du vent. Comment faire si les sylphides ne s'amusent plus des impressionnants déplacements d'air qu'elles inventaient? Elles refusent de bouger et de faire danser les nuages. Magnolia leur promet un objet qui les amusera à coup sûr si elles font renaître les vents. Elle leur présente d'abord la clé d'or: rien ne bouge, puis la girouette qui s'emballe dès qu'elle souffle sur les pales. Les sylphides, soudain intéressées, se rassemblent et secouent d'immenses draps blancs qui provoquent ondulations et vagues au son de la harpe. Dans ce pays vaporeux, les vents se lèvent: le sud-est sensuel, le nord-ouest vigoureux, le nord-est vivifiant, le franc nord piquant et le franc sud réconfortant. Ils se rencontrent avec violence, déformant et remodelant les nuages. Cirrus, cumulus, nimbus et stratus multiplient leur apparence en diverses combinaisons. Ce monde en mouvement bouge dans un chaos somme toute... harmonieux.

Mais comment transporter les vents d'un monde à l'autre? Par leur chant, les sylphides dévoilent la façon d'y parvenir.

Pour aider Ulysse dans son Odyssée
Et qu'enfin il retrouve sa bien-aimée,
Le dieu Éole, gardien des vents,
D'une outre de cuir lui fit présent.

Le sac clos de façon hermétique
Contenait tous les vents de tempête.
Rappelle-toi, dans notre monde magique,
N'as-tu point vu de cuir, une queue de bête?

Magnolia, dont la mémoire est infaillible, se souvient d'un cuir imputrescible laissé dans le tableau des marais: la queue de la Meuve. Elle reprend donc le chemin menant à ce tableau pour récupérer la précieuse peau, revient dans le monde des nuages et fait emplir de grands vents ce sac improvisé pour l'amener au meunier.

Devant la meunerie, elle laisse s'échapper de l'outre tous les vents qu'elle contient. Les quatre ailes du moulin daignent enfin s'agiter, se balancer et tourner, tourner avec un grincement qui enchante maître Pierre. Heureux de la contribution de sa bienfaitrice, il remplit maintenant l'outre de Magnolia avec la farine fraîchement moulue et se met à chanter:

Rien qu'avec le vent qui gonfle ta voile,
Rien qu'avec le courant de la rivière,
L'inspiration colorera la toile,
Au loin, la paresse pourra se taire.

J'imprime sur papier ce petit texte et, malgré l'heure passée, Magnolia peut accéder à la prochaine étape sans qu'apparaisse à l'écran la fameuse phrase: *Heure complétée, séance terminée, basculez vers la vie quotidienne.*

Dans la ville des lutins

Sous le poids de sa gibecière, Magnolia poursuit son périple en direction de la ville des lutins. La course promise peut maintenant avoir lieu: sur le revêtement de la rue principale, Magnolia étend la farine. Au bout du trajet, elle suspend la clé d'or pour attirer les coureurs. Ensuite, elle demande aux lutins de se placer sur une ligne. Le départ est donné et les lutins courent frénétiquement vers la clé d'or. Il ne reste plus à Magnolia qu'à surveiller les traces qu'ils laissent dans la poudre blanche pour y reconnaître celles du Lèprechien: des empreintes devant-derrière. Ça y est, les voilà! Elle poursuit le personnage, l'interpelle et lui demande la botte:

En échange contre cette botte
N'accepterai qu'un cuir de qualité,
Pas de toc ni de camelote
Pour fabriquer mes nouveaux souliers.

Tiens, ça tombe bien! Du cuir, on en a justement! Qui eût cru que la peau de cette vieille Meuve puisse être si utile? Magnolia, qui l'a toujours en sa possession, tend la peau de serpent. Le Lèprechien se montre très intéressé par ce cuir et invite Magnolia dans sa boutique.

Chez ce drôle de cordonnier, Magnolia reconnaît, dans les étalages, la botte de Migno. Elle l'emporte avec elle. Maintenant, il faut trouver le Pisteur.

Chapitre 8
La théière

Samedi, la journée du ménage et des courses. Je me lève avec un gros rhume de cerveau, pas à la taille de mon cerveau, mais plutôt à celle de mon nez... complètement congestionné; je dois respirer par la bouche, mes sens du goût et de l'odorat sont en panne.

Sur mon agenda électronique, j'ai la liste d'épicerie d'Edgar. En bas de la liste, dans la section *pense-bête*, je lis: «Ne pas oublier la commission pour Olga.» J'ai mis ce message pour me rappeler une course à faire aujourd'hui, mais laquelle? Après les achats au marché, cela me revient. Madame Olga m'avait demandé, samedi dernier, d'aller chercher une nouvelle théière. Elle a dû la commander dans l'un des catalogues du réseau. Je devais prendre le colis au quai de livraison de marchandise du TGV, comptoir numéro 4.

Le panier à roulettes chargé des sacs d'épicerie, je dois donc revenir sur mes pas, sur un demi-kilomètre, pour récupérer le paquet de madame Olga. «Fais bien attention, sois très prudente avec le paquet, c'est une théière de forme inusitée et je l'attends depuis si longtemps! C'est sûrement celle qui pourra convenir parfaitement au beau monsieur qui habite l'immeuble», m'avait-elle confié. En hâte, je me rends chez Edgar pour lui porter ses provisions. Pour comble de malheur, l'ascenseur est défectueux. Décidément, c'est mon jour d'exercice! J'hésite: pourrais-je laisser quelques effets dans le hall? Non, les délits et les vols sont bien trop fréquents, je reviendrais et le panier serait vide. Je verrouille donc le panier à un support pour bicyclettes et entreprends l'ascension des sept étages dans l'escalier en colimaçon, avec les deux lourds sacs de provisions couronnés de la boîte contenant la théière. Si vous croyez que c'est facile, je vous propose d'essayer. Et si vous croyez que j'ai échappé quoi que ce soit, détrompez-vous! Depuis que j'ai perdu du poids, je me sens plus en forme et le rituel de la demi-présence m'a sûrement endurci les bras! Les sept épreuves du monde de la spirale se répètent: étage numéro 1: le courage, étage numéro 2: la vérité, étage numéro 3: le renoncement de soi, étage numéro 4: l'évolution, étage numéro 5: le dépassement, étage numéro 6: la force et enfin, l'étage numéro 7: la solitude. Car, après avoir gravi les sept volées de l'escalier sans défaillir, j'étais seule pour célébrer la victoire.

Au dernier palier, les sacs et la boîte se reposent quelques instants sur le plancher, question de bouger un peu mes épaules. Puis, j'ai pensé à la tête que ferait monsieur Edgar lorsque je lui raconterais mes exploits. Je ramasse mes paquets et sonne à son appartement avec le seul doigt que je peux dégager. La porte se déverrouille grâce à un système électronique.

Au lieu du bonjour et du rire habituel de

monsieur Edgar, c'est un chien berger allemand qui m'accueille à la porte de son appartement. Immobile sur le seuil, j'appréhende sa
réaction. Il tourne en rond, secoue la queue,
gémit doucement et me saute dessus! Tout ce
que je tiens dans les bras chancelle, j'essaie de
rattraper le contenant de lait, mais je retiens
les oignons, le sac de farine glisse sous mon
bras et se répand sur le parquet. Finalement,
voulant retenir le céleri, j'ai soudain peur que
le chien me morde et j'oublie le colis de madame
Olga; je me retrouve par terre, couchée dans la
farine. Le colis tombe tout près et le bruit qu'il
fait en percutant le sol est sans équivoque, la
théière est cassée... Le chien me lèche le men-
ton. Pouah!

Monsieur Edgar arrive sur les entrefaites.
Voyant le plancher couvert de farine blanche, il
pouffe de rire et se met à chanter un vieil air de
Noël.

— *Nous glissons sur la neige blanche, en ce
beau jour de dimanche...* Veux-tu qu'on glisse un
peu?

Avec le chien toujours au-dessus de mon visage, l'humeur plus près des larmes que du rire,
le cœur en miettes comme la théière de madame
Olga, je n'ose plus bouger.

— Oh! Monsieur Edgar, le chien, il m'a sauté
dessus, est-ce qu'il est méchant?

Il attrape le chien par le collier et lui donne
l'ordre de rester tranquille. Il s'empresse aussi-

tôt auprès de moi, m'aide à me relever et vérifie mon état.

— Comme tu as maigri, il me semble... Ça va? Tu n'as rien?

— J'ai eu plus de peur que de mal..., mais quel gâchis!

— Assieds-toi là, je vais chercher l'aspirateur pour nettoyer la farine avant qu'elle ne vole partout. On va régler ce petit problème. Dis-moi, a-t-on des nouvelles de ta petite sœur?

— Non, hélas! Je préfère ne pas en parler.

Il se tait sur le coup, se redresse et s'en va chercher l'aspirateur. En marchant dans la farine, Edgar y laisse des traces étranges. Il a un pied à l'envers. C'est lui, je le savais! Je retiens un cri d'exclamation en plaquant une main sur ma bouche. Il reprend la parole:

— Détends-toi, Pistou n'a pas de malice. Il m'a été offert par le neveu d'un vieil ami dimanche dernier. C'est un ancien chien policier, mais il n'a pas été entraîné pour l'attaque. Celui-là avait une mission bien spéciale...

— Je croyais que l'on interdisait les chiens dans cet immeuble...

— Ah! Mais je suis rusé... Vois-tu, on permet aux personnes ayant des troubles visuels d'avoir leur chien-guide en tout temps...

— C'est un chien-guide alors? Mais vous, vous n'êtes pas aveugle?

— Ni l'un ni l'autre, il s'agit d'une excuse. Pour moi, il sera bien plus qu'un guide, il deviendra un compagnon de tous les jours. Même s'il a été dressé par l'escouade policière antidrogue, Pistou a bon caractère et je l'aime beaucoup. Tu vois qu'il est plutôt affectueux... Juste avec son odorat, il pouvait retracer des stupéfiants dans les bagages des voyageurs. Il a connu un destin digne d'un héros...

Il se tourne vers le chien et lui adresse un ordre impératif: «Pistou! Tapis!» La bête, docile, se love sur le bout de tapis qui lui sert de couchette.

Monsieur Edgar se rend compte soudain que le moment est bien mal choisi pour me raconter l'histoire de ce chien et les derniers potins. Il m'aide à brosser mes vêtements enfarinés.

Comme il n'est pas facile de secouer cette poudre fine sur mon chandail de laine, monsieur Edgar termine la tâche avec son aspirateur, poursuit le ménage, ramasse les aliments qui sont éparpillés par terre. Pendant ce temps, je m'assois dans le fauteuil fleuri et dépose sur mes genoux la boîte de la théière, détache les rubans gommés et soulève le couvercle. Malgré la protection de la styromousse, la théière est en deux morceaux: l'anse est cassée. Edgar remarque mon embarras. Il laisse là balai et torchon pour se consacrer à cet autre problème.

— C'est une très belle théière. Je n'en ai jamais vu ayant la forme d'une botte. Elle n'est pas à toi, n'est-ce pas? dit-il en regardant le nom de la destinataire sur l'emballage.

— Non, je devais la porter chez madame Olga. Vous connaissez madame Olga?

— N'est-ce pas cette dame herboriste qui habite au huitième?

— Justement... Je fais régulièrement le ménage chez elle. Elle attendait cette théière depuis si longtemps. Maintenant, je ne sais plus quoi faire, elle va être bien déçue!

— Je ne sors pas souvent et ne lui ai jamais parlé, mais je sais qui elle est. Les rares fois où je l'ai rencontrée, elle a baissé les yeux... Elle a bon goût pour les théières, en tout cas... Viens, on va réparer les dégâts de Pistou sans que rien n'y paraisse. Pour un ancien cordonnier, réparer les bottes est une spécialité, quel que soit le matériau.

— Vous étiez cordonnier? lui demandé-je, au comble de l'étonnement.

— Viens voir.

Il m'invite à traverser dans une toute petite pièce, une sorte de débarras contenant les outils qui garnissaient son atelier à l'époque de la cordonnerie. Il sort d'un grand coffret un pistolet plutôt moderne.

— Ceci est le dernier pistolet régénérateur de matière qu'on a dû vendre; maintenant, ils sont interdits. On s'en servait beaucoup en cordonnerie pour reconstituer le cuir. Je vais l'utiliser pour refaire un contact parfait entre l'anse et la théière. Elle sera comme neuve et aussi solide qu'avant.

— Ah! Parlant de théière et de thé, j'oubliais

de vous dire... il n'y avait plus de thé au super-marché.

— Oh! Comment vais-je survivre sans thé cette semaine? Il faudrait que quelqu'un m'invite! me dit-il en blaguant, sans que je comprenne vraiment son allusion.

Edgar travaille avec minutie, je l'observe attentivement. Est-il le Lèprechien? Soudain mal à l'aise, il me demande de l'attendre près de l'entrée. Je ne vois pas alors ce qu'il fait avant de remballer la théière.

Au bout de quelques minutes, il revient avec la boîte bien refermée et scellée de ruban adhésif.

— Voilà, tu peux maintenant te rendre chez cette chère tisanière et lui remettre la théière. Fais-moi confiance, elle n'y verra rien! Et si tu as besoin d'autre chose, n'hésite pas à venir m'en parler.

Une étincelle presque familière scintille dans son œil. Il me fixe, ses yeux me paraissent soudain comme deux petits écrans... Qu'y a-t-il de l'autre côté de ce regard? Voyons, Savoyane, concentre-toi! Tu avais deux questions à lui poser. Quelles étaient-elles, je n'arrive plus à me souvenir... Une seule phrase parvient à franchir mes cordes vocales, pour le reste, c'est le néant...

— Merci beaucoup! On se reverra, n'est-ce pas, monsieur Edgar?

Chapitre 9
Le billet

Huitième étage. Madame Olga m'attend, inquiète. Malgré son excitation, elle ne manque pas de poser la fameuse question, avant même de me dire bonjour:

— A-t-on des nouvelles de Circée?

Deux mots composent la réponse que je donne à tous ceux qui s'informent de Circée, deux mots qui découragent l'élaboration de la discussion.

— Non, hélas! dis-je en reniflant.

— Pauvre Savoyane, tu pleures?

— Non, cela m'est interdit, ce n'est qu'un mauvais rhume...

Elle se penche alors sur le colis que je lui rapporte.

— Ah! Tu as la théière, quel bonheur! Tu y as pensé! Tu savais à quel point c'était important pour la vieille sentimentale que je suis. Merci, ma belle! Viens à la cuisine, on va la déballer ensemble et la nettoyer pour qu'elle soit parfaite. Ensuite, je vais confectionner un emballage-cadeau romantique avec des fleurs séchées.

— Cette théière n'intégrera donc pas votre collection? Vous vous êtes enfin décidée à la donner?

— Eh oui! Celle-là, c'est ma bouteille à la mer... Ma belle, je vais te révéler mon secret. Malgré mes quatre-vingt-deux ans, Cupidon a lancé une flèche dans mon cœur. J'ai le béguin pour quelqu'un. Tout ce que je sais, c'est son nom, son adresse et qu'il aime le thé. Alors, quel cadeau plus approprié qu'une théière en forme de botte pour attirer l'attention d'un ancien cordonnier amateur de thé.

«J'ai une idée. Pendant que tu frotteras mon appartement, je vais préparer une tisane qui te soulagera et peut-être même te guérira de ce foutu rhume, tu peux me croire.»

Dans la cuisine, Olga répète les mêmes gestes délicats que je viens de faire au septième pour ouvrir la boîte de la théière. Au comble de l'exaltation, comme une enfant à Noël, elle applaudit lorsqu'elle dépose la théière sur la table. Je retiens un soupir de soulagement. L'anse semble bien en place; rien n'y paraît, Edgar a tenu parole. Olga s'affaire à nettoyer la théière dans l'évier, puis cesse soudain son activité, comme paralysée. Elle tient un bout de papier déplié, un billet sur lequel elle a lu un message.

— Mon doux! Comment ce billet a-t-il pu se retrouver dans la théière?

Je m'approche et lis par-dessus son épaule: *Bonjour, Olga. Vous avez bon goût pour les théières... c'est la plus belle qu'il m'a été permis de réparer. Avec ce bon goût, vous pouvez sûrement me révéler le nom du meilleur thé? Faites-le-moi savoir, je vous prie.* Je reconnais la signature de monsieur Edgar. Voilà qui me met dans une bien délicate position.

— Dis-moi, Savo, est-ce que tu as vu ce Monsieur Edgar aujourd'hui? Comment a-t-il déjà eu en main cette théière? Et pourquoi l'aurait-il réparée?

— Euh... Eh bien...

Jamais je n'aurais cru me trouver dans une situation pareille. Alors, je raconte à madame Olga mes péripéties de la journée et lui avoue enfin l'incident de la théière cassée. Ma foi, la vérité me sert bien. Olga, enchantée, tient maintenant le billet entre ses mains, comme une jeune fille qui aurait reçu sa première invitation à un rendez-vous galant. C'est phénoménal les proportions que peuvent prendre des peccadilles dans la vie d'une personne âgée. Elle est tellement agitée que j'ai peur pour son cœur.

— Quelle classe! Parle-m'en, Savo... Je t'en prie. Dis-moi comment il est, dans quel intérieur il vit. C'est un mot gentil, n'est-ce pas? Mon doux! Crois-tu que je devrais y répondre?

— Calmez-vous, madame Olga... Concentrez-vous seulement sur le contenu de votre réponse. Je pourrai porter votre message à monsieur Edgar. Il est bien sympathique, mais il vient de me jouer un bon tour.

— Coquin par-dessus le marché!

Je termine ma besogne. Olga prépare deux tisanes: l'une aux trois fleurs pour elle et l'autre pour moi, contre le rhume. On s'assoit toutes les deux près de la table à thé. La tisane a un effet presque instantané; déjà mes narines recouvrent la faculté de respirer et l'odorat me livre tout l'arôme de la boisson chaude: un mélange d'herbes exotiques, d'eucalyptus, de menthe poivrée et de camphre avec un soupçon de miel.

— Ça fait du bien, on dirait que l'air n'a jamais coulé aussi limpide dans mes voies respiratoires.

Olga sourit puis s'assombrit presque aussitôt.

— Savo, je sais peut-être préparer de miraculeuses tisanes, mais écrire des billets, ce n'est pas ma tasse de thé... Je ne sais que répondre à Edgar.

— Que diriez-vous de simples mots, une petite invitation comme: *Cher monsieur, le meilleur thé est celui que je partagerai avec vous.*

— Oui! Ce serait parfait!

Comme deux grandes amies, tout excitées par les événements, nous préparons un billet que je porte ensuite chez Edgar en souriant. Alors qu'il déplie le message pour le lire, son visage s'illumine.

— Enfin! Elle a osé, soupire-t-il.

Je lui dis, sur un ton ironique:

— Je me doutais bien qu'un type aussi charmant ne pouvait rester sans compagne tout le temps.

Edgar, avec beaucoup d'émotion dans la voix, répond:

— Je prendrai ce thé avec Olga, à ta santé et à tes projets, Savoyane, car cette rencontre n'aurait pas été possible sans toi. J'étais en train de mourir d'ennui.

— Je crois que le destin vous aurait quand même mis sur le chemin d'Olga. La théière vous était destinée, Olga voulait vous en faire cadeau.

Encore une étincelle allume son regard; cette fois-ci, c'est sur une larme qu'elle jaillit. Monsieur Edgar est plus humain que moi. Il ne peut pas sortir d'un monde virtuel comme je l'avais d'abord imaginé; il ne peut pas être le Lèprechien. Il passe sa main fine sur mes cheveux. Ce contact dissipe les derniers doutes. Il est en chair et en os, comme Olga.

— Merci! Cette confidence me fait le plus grand bien. Si tu as quelque chose à me demander... n'hésite pas. Tu peux compter sur moi n'importe quand.

J'avais deux questions à lui poser. La première me revient: «Pourquoi vit-il sans compagne?» Maintenant, elle est devenue hors contexte, inutile. Quelle était donc l'autre question? Son émotion m'a tellement touchée que je n'arrive plus à retrouver la cohérence de mes pensées. Qu'est-ce qu'il a eu au pied? Voyons, Savoyane, concentre-toi. Voici pourtant tout ce que je parviens à formuler:

— C'est moi qui vous remercie...

Chapitre 10
Pistou

Ce soir-là, je suis un peu réconciliée avec la vie, car j'ai réussi enfin à me rendre utile auprès de gens qu'auparavant je mésestimais. Et ils ont apprécié mon intervention! Je les ai aidés dans une cause importante, mais me voilà plus solitaire qu'eux auparavant.

En soirée, un agent de police vient à la maison, il me pose encore des questions. Toujours les mêmes. Il étale des photographies robots sur la table et me demande si j'ai déjà vu des visages semblables. Il semblerait que les enquêteurs aient rassemblé quelques éléments de preuve pour retracer un réseau de trafiquants. Ceux-ci auraient même obtenu des informations des banques informatiques des hôpitaux en piratant les systèmes de sécurité. C'est ainsi qu'ils auraient obtenu les renseignements complets à propos des caractéristiques physiques, groupes sanguins, groupes tissulaires, cartes d'ADN, état de santé d'éventuels donneurs universels comme Circée. Ils agissent presque sur commande.

Malheureusement, ces visages ne me disent rien. Je répète à l'agent que je n'ai vu personne au parc cet après-midi-là, sauf le groupe du club de marche. Il demande ensuite un entretien privé avec papa et je m'isole dans la chambre d'Ibéris.

Très tard, lorsque papa s'endort enfin, je me réfugie dans le monde virtuel.

SUR LA PISTE DU PISTEUR
Le plus long chemin mène vers soi
Le Pisteur est assis dans une parfumerie dont les flacons sont tous vides. Il respire le goulot des bouteilles qui ont rendu l'âme. Il a le nez disproportionné par rapport au reste de son corps. Sa cage thoracique est développée, ses jambes bien musclées, ses gestes précis. Dans le menu-outils, je choisis l'option *Donner la botte au personnage rencontré*. Le Pisteur dépose sa dernière bouteille, attrape la chaussure et la sent. Puis il se met à chanter sur un rythme rapide.

Mon nez, aussi sensible que celui du chien,
Toujours doit renifler la sueur des souliers.
Si je retrouve un enfant ravi aux siens,
Me donneras-tu un parfum pour m'enivrer?

Un parfum... Magnolia lui montre le flacon de parfum offert par Dame Holle au début du jeu. Celui-ci fait l'envie du Pisteur. Il se met à courir très vite et part dans une direction précise. On dirait bien qu'il nous mène vers l'enfant perdue. Mais l'épreuve consiste à le suivre une fois qu'il a reniflé la botte. Comme dans une course du chat et de la souris, il faut passer exactement là où le Pisteur a mis le pied. Parmi les rayonnages et les étagères de la parfumerie s'ouvrent des passages secrets. La difficulté est d'y accéder sans mettre le pied sur les flacons brisés qui jonchent le sol. On sort de la bâtisse, le voilà sur un sentier qui mène vers l'avant-plan du jeu. Il court face vers l'écran, son nez se rapproche de la vitre. Magnolia le suit toujours. Il court et court encore vers... moi! Et son nez vient s'écraser contre l'envers de la vitre. Ridicule! C'est ainsi que se termine le tableau!

Sortie du tableau:

Et celui qui te précède sur le sentier
Connaît souvent mieux les obstacles.
Son expérience pourra te guider
Ou te perdre comme un faux oracle.

— Eurêka! J'ai trouvé! m'exclamé-je. Le Pisteur, c'est Pistou!

Ce chien policier pourra m'aider à retrouver Circée. Grâce à la botte que j'ai conservée, il retrouvera la piste à l'odeur. C'était si simple.

Le lendemain matin, même si je n'ai pas à faire le ménage chez monsieur Edgar, je cours chez lui avec la botte rouge dans le sac bien fermé.

L'espoir ravive la hardiesse; enfin, je vais prendre une part active à la quête la plus importante de ma vie. Enfin, j'ai trouvé le lien entre les deux mondes.

— Maintenant, monsieur Edgar, vous pouvez m'aider, j'ai besoin de vous et de votre chien. Puisque Pistou a l'odorat très aiguisé, qu'il peut même retrouver des sachets de stupéfiant rien qu'à l'odeur, il pourra retrouver la trace de ma sœur.

Sa réponse me coupe les jambes.

— Il *avait* l'odorat très aiguisé, rectifie Edgar, plus maintenant. Je ne t'ai jamais raconté son histoire. Prends le temps de t'asseoir.

Si simple... ça aurait pu être si simple... mais rien ne l'est vraiment. Au bord des larmes, j'écoute, perplexe, le récit de monsieur Edgar.

— Pistou faisait partie de l'escouade Cynophile, une escouade qui utilise des chiens dressés. Je t'ai déjà expliqué qu'il savait retrouver les marchandises contenant de la drogue grâce à son odorat. On utilisait ses services dans les ports et les gares multimodales. Il a permis de retracer d'énormes quantités de stupéfiants et même de démanteler d'importants réseaux de trafiquants de drogue. Il pouvait aussi suivre une trace à partir d'un vêtement ayant appartenu à une personne recherchée. On utilisait ses services pour retrouver les victimes enfouies dans les débris après un sinistre. Outre ces valeureux exploits, ce qui en a fait un héros, c'est qu'il a sauvé la vie de son maître lors d'un incendie survenu il y a deux mois. Il a traversé un couloir enfumé et a transporté, en le faisant glisser sur le sol, le policier évanoui. En revanche, ce sauvetage a causé à la brave bête des problèmes pulmonaires, des troubles de vision passagers et, malheureusement, lui a coûté le sens de l'odorat, à cause d'une trop longue exposition à la fumée nocive. Après cet acte héroïque, on l'a décoré d'une médaille, mais on ne pouvait plus justifier la présence d'un chien policier qui a perdu le sens de l'odorat dans les rangs de l'escouade. L'agent qui en avait la charge me l'a donné et il passera avec moi une vie paisible... Pourquoi ne portes-tu pas la botte au service de police? Là, on pourrait sûrement t'aider plus que Pistou et moi.

— Je ne peux pas. Personne ne sait que j'ai conservé cette botte. Si maman apprenait dans quelles circonstances je l'ai retrouvée, elle me fusillerait. C'est vous la solution, vous et votre chien! J'en ai la conviction maintenant.

— Mais pourquoi?

— Mais parce que c'est comme ça dans le jeu, lui dis-je, c'est sûrement LA solution, votre chien devrait pouvoir retrouver ma sœur...

— Je ne vois pas de quel jeu tu parles!

Alors, à tort ou à raison, je lui parle de Dame Holle, du Lèprechien, du Pisteur, des Lutins, de la Glésine et de tous les autres qui s'insurgent dans mon esprit et dans les détails du quotidien. C'est sûr, il va penser que je suis folle!

Il m'écoute attentivement et, au bout d'un moment, me dit:

— Je comprends... Maintenant, qu'est-ce que tu comptes faire? Il y a sûrement une issue! Je veux bien t'aider, mais le chien n'est pas en mesure de faire du dépistage. Ses yeux sont guéris, il respire mieux maintenant, mais il ne sent rien. Même un bon bifteck ne le stimule pas...

— Ne peut-on pas le guérir? N'y a-t-il pas un remède qui redonne la possibilité de reconnaître les odeurs?

J'inspire profondément et je prends conscience comme il m'est facile de capter les odeurs. La dernière infusion d'un thé Earl Grey laisse traîner un parfum de bergamote, les biscuits sur la table me chatouillent les papilles de leur arôme d'amande, tout comme le parfum de monsieur Edgar. Comme c'est agréable de sentir. Heureusement que madame Olga a guéri mon rhume... Madame Olga a guéri mon rhume... Et si elle a réussi...

— Madame Olga connaît peut-être ce remède!

Avec sa science d'herboriste, elle pourrait concocter un élixir de fleurs pour rétablir les facultés des muqueuses endommagées. Si sa recette fonctionne, le chien nous guidera jusqu'à Circée. Je m'accroche à cet espoir avec entêtement.

❧

Contrairement à mes présomptions, madame Olga n'a pas paru surprise par ma demande. Elle a dû guérir tant de maux, tant de bobos avec les plantes médicinales. Elle a perpétué une science aussi vieille que la maladie, une magie que les sorcières du moyen âge maîtrisaient: la pharmacologie herboriste. Ce diplôme a été retiré depuis plus de 100 ans. La médecine, très scientifique maintenant, préfère la médication synthétique, les traitements laser, la chirurgie, les injections et la nanotechnologie.

Olga, elle, a persisté dans des croyances anciennes, prodiguant des soins à peu de frais aux patients qui lui font confiance. Elle connaît toutes les plantes, leurs noms et leurs effets. Elle dit connaître jusqu'aux êtres élémentaux[8] qui régissent chaque partie de la plante. Grâce à eux, Olga arrive même à guérir les états d'âme. Je découvre un personnage impressionnant dans cette petite vieille grassouillette que je jugeais à tort un peu simple d'esprit.

Sa médecine avait servi uniquement à soulager et guérir hommes, femmes et enfants. L'idée de l'appliquer sur un chien lui demandait une approche bien différente. Elle hésitait.

— Ma belle Savoyane, je ne pourrai pas élaborer un remède en criant ciseau, d'autant plus que je ne suis pas certaine du résultat sur un chien. Mais pour toi, je suis prête à tenter l'expérience.

Chère Olga, gentille Olga, je lui saute au cou et l'embrasse.

— J'ai besoin d'un certain temps pour préparer un élixir floral spécial qui aura du chien! Veux-tu m'aider à trouver les ingrédients? me demande-t-elle.

---

8. *Êtres surnaturels reliés aux éléments (terre, eau, air, feu).*

Dans l'un de ses grimoires, elle énumère les accessoires et les ingrédients nécessaires à la préparation d'une recette aussi farfelue pour moi qu'elle paraît originale pour un chien. Des récipients et ustensiles de verre, de l'eau pure et des fleurs fraîches qu'elle m'envoie cueillir dans son jardinet de la cour arrière, avec une méthode toute particulière. Je dois sectionner les tiges à l'aide de deux cristaux, sans toucher les plantes de mes doigts, pour comble, il faut parler aux fleurs et leur demander pardon en les coupant.

Une fois les ingrédients réunis, elle infuse les fleurs dans l'eau pure, au soleil de midi. Elle retire les pétales et ajoute deux cristaux et un peu du poil de Pistou. Je crois qu'elle improvise le reste de la recette à même son intuition. Elle se concentre et prend un air solennel que je ne lui ai jamais vu. On ne dirait pas la même personne.

Pendant sept jours, Olga et Edgar administrent au chien héros une dose précise de cet élixir. Au bout de ce délai, Edgar remarque une modification dans le comportement de Pistou. De temps en temps, il se met à fureter dans l'appartement, il marche le long des meubles, des murs, le nez au sol, à l'affût d'odeurs!

Contrairement à la guérison de mon rhume, celle du chien prendra plusieurs jours encore avant qu'il ne recouvre son fin odorat. Nous lui faisons passer des tests pour retrouver des objets dans la pièce, puis dehors. Quand nous le jugeons prêt pour la recherche de Circée, nous nous rendons au parc avec le chien en laisse, à l'endroit même où la petite a disparu. La bonne bête respire la botte et enfouit son museau à l'intérieur. Pistou n'a pas oublié les fonctions pour lesquelles il a été dressé, il sait qu'il doit retrouver l'empreinte olfactive au sol et il plonge le nez dans le tapis de feuilles. Sa tête va de droite à gauche, il respire la multitude d'odeurs qui ont été laissées là depuis des jours, des mois, pour en détecter une seule, celle de Circée.

— Il a de la difficulté, comme il s'est passé beaucoup de temps depuis la disparition de ta sœur, la piste a été dissipée. D'autant plus que, s'il s'agit d'un enlèvement, les ravisseurs ont peut-être porté la petite dans leurs bras, alors, elle n'aura pas mis pied à terre... pense tout haut Edgar.

Pendant ce temps, le chien poursuit lentement son balayage nasal; il ne se décourage pas. Tout à coup, il lève la tête, nez dans le vent. Il renifle de nouveau la botte puis il part en courant. Edgar, avec sa canne, a beaucoup de difficulté à marcher et ne peut plus suivre. Il me crie:

— Pars, suis-le, je vous attendrai chez moi!

Les pattes aux fesses, je poursuis le chien qui emprunte un chemin très familier: la route même que j'ai parcourue pour mon retour à la maison l'automne dernier, le soir où j'ai perdu Circée; le chemin que, depuis ce temps, je prends pour me rendre régulièrement au parc.

Et le berger allemand me ramène directement chez moi... gratte à la porte de l'édifice pour entrer à l'intérieur, grimpe les marches qui mènent au palier où est situé notre logement. Découragée, je déverrouille et ouvre les portes, le laisse accéder là où il veut aller.

Comme le pensait Edgar, l'odeur de Circée a sûrement disparu et Pistou a suivi ma propre odeur! Pour m'assurer qu'il n'y ait pas méprise, je recommence l'expérience à partir du début, dans le parc. Même démarche, même résultat: on se retrouve, le chien et moi, devant l'ordinateur de grand-papa dans la chambre d'Ibéris. Pistou colle son museau sur la vitre de l'écran, aboie et remue la queue. C'est alors qu'un son étrange me fait sursauter, comme une cascade, comme un ruisseau, comme une chanson gaie: l'espace d'une seconde, je jurerais avoir entendu un drôle de petit rire. Pourtant, à part le chien et moi, pas d'autre âme qui vive dans la pièce. Et ce chien, même s'il peut démontrer sa joie, est incapable de rire. Le rire est le propre de l'homme, on me l'a toujours dit.

Perplexe, je communique avec Edgar pour l'informer du résultat de nos démarches. Je tente quand même une pointe d'humour.

— Comment Circée pourrait-elle être dans un ordinateur? Enfin, l'avantage dans toute cette histoire, c'est que Pistou est complètement guéri.

— Et il pourra retourner à l'escouade Cynophile. Nous ne le reverrons plus. Je crois que je m'étais déjà attaché à lui... Savoyane, décroche de ce jeu qui est devenu une fuite pour toi. Et parle plutôt de cette botte aux enquêteurs... Si tu ne peux le faire, quelqu'un d'autre le fera. Cet élément pourrait peut-être faire avancer les recherches...

Chapitre 11
Ibéris

Le premier avril, Ibéris revient enfin à la maison. J'en éprouve un immense bonheur! Elle a changé. Ses cheveux noirs courent maintenant jusqu'au bas de son dos. Elle tient la tête inclinée vers l'avant pour cacher son regard, laissant tomber sa chevelure le long de son visage pour dissimuler ses joues roses. On dirait un animal soumis. Ses propos sont drapés de mystère. Elle tient un discours concis, sans élaborer, juste ce qu'il faut pour répondre aux questions. Secrète Ibéris.

Papa a organisé un souper pour souligner son retour. Il a même invité les voisins et exagère dans la minutie des préparatifs. Il a décoré l'intérieur, préparé des amuse-gueule joliment agrémentés de persil, de poivrons colorés et de crevettes, et a monté la table avec les couverts de porcelaine. Le chef-d'œuvre est le gâteau que nous avons préparé ensemble. Avec le piston à décoration, je me suis appliquée à écrire *Bienvenue chez toi, Ibéris*.

Au cours de la soirée, on évite bien sûr les sujets délicats. Pas un mot sur Circée, pas une allusion à propos de la maladie d'Ibéris. On parle d'avenir et de petites choses de la vie quotidienne. Je raconte les amours d'Edgar et d'Olga, ce qui fait sourire l'auditoire attendri. Ibéris m'écoute religieusement, un sourire figé sur les lèvres, la tête un peu penchée sur l'épaule. J'aperçois enfin ses yeux qui pétillent de lumière. Si son attitude dégage la docilité, ce regard-là couve une bête rebelle. Comme elle m'a manqué! Depuis le matin, je n'ai pas eu une seule minute avec elle. Il faut qu'on se parle dans le privé, toutes les deux. Papa prend la main d'Ibéris et lui dit:

— Marie-Laurence n'a pu arriver à temps pour ton retour à la maison. Elle sera là après-demain, avec Jeanne et Thomas. N'est-ce pas une bonne nouvelle?

Enveloppée d'un grand réconfort, Ibéris sourit.

Maman revient après-demain! J'ai hâte et j'ai peur à la fois. Pourvu qu'elle ne m'en veuille plus et qu'elle me pardonne enfin. Je souhaite tellement que les retrouvailles se déroulent bien malgré l'absence de Circée. Papa se veut rassurant:

— Nous formerons de nouveau une famille, incomplète, mais une famille tout de même.

Dès que les voisins nous quittent, j'implore Ibéris de m'accompagner dans sa chambre. Pourquoi résiste-t-elle à l'invitation que je lui fais? Elle marche lentement vers le salon, les yeux au sol, regardant les carreaux du linoléum, comme si elle voulait les compter. Ma foi! On dirait un zombie! Alors, la prenant par le bras, je détourne sa trajectoire, l'entraîne, l'attire dans sa chambre.

Je me sens tout chose. Mes bras l'entourent,

je la tiens fort contre moi. Elle se laisse serrer sans réagir à ce soudain élan de tendresse. Je glisse ces mots à son oreille:

— Oh! Ibéris! qu'est-ce qu'ils t'ont fait là-bas?

Puis, imperceptiblement, elle laisse tomber sa tête sur mon épaule. Ensuite, elle regarde à gauche et à droite et constate que nous sommes bien seules. Enfin, elle m'enserre à son tour. De notre étreinte coule une fontaine de larmes, des larmes de joie.

— Enfin, tu es de retour, tu es guérie!

— De retour à la maison... mais toujours la même Ibéris, ne t'en fais pas.

— Qu'est-ce que tu veux dire?

— Il n'y a rien de changé dans mon état. Je me suis bien tenue, j'ai répondu ce que les préposés voulaient entendre, fait ce que les médecins attendaient de moi, mais j'ai recraché, sans leur dire, tous les comprimés de clozapine, ce médicament qui doit bloquer les capteurs sigma du cerveau et rétablir un présumé équilibre mental. Je ne comprenais rien à leur médecine chimique et j'avais peur. C'est la cuvette de toilette qui a gobé les capsules. J'ai feint la guérison d'une maladie qui n'existe pas, en tout cas, pas chez moi. Sans cette stratégie, je serais encore au Centre d'émergence... Je ne veux pas y retourner.

Elle se tourne vers l'ordinateur toujours installé dans le coin de sa chambre, un peu plus poussiéreux qu'avant.

— Je t'assure que dès que papa sera parti demain, on va ouvrir cette boîte à sortilèges. Pour l'instant, il me l'interdira.

Elle place son doigt en plein centre de l'écran.

— Si cet ordinateur est l'origine de nos problèmes, il doit contenir les solutions.

❧

Le lendemain, papa se lève en retard; il prend tout son temps pour déjeuner, étire la matinée en écoutant les nouvelles sur le réseau. Lorsqu'il nous quitte enfin pour le travail, il est déjà dix heures. Enfin!... Pauvre papa, s'il savait que nous souhaitions tant son départ, Ibéris et moi, il en serait affligé.

Sitôt la porte fermée derrière lui, on court dans la chambre d'Ibéris. Elle s'empresse d'allumer l'appareil, ses doigts n'ont plus cette aisance de pianiste de l'année dernière. Elle hésite un instant puis, finalement, me cède la place devant l'écran. Depuis le temps, pour moi, c'est une routine, je connais les manœuvres par cœur.

Je lui explique les étapes traversées depuis ma dernière lettre et les événements de la vie quotidienne qui en ont résulté. Alors que notre personnage principal entre dans le prochain tableau, quelle n'est pas notre surprise de constater que Magnolia n'a plus son apparence initiale. Elle est... moi, ou plutôt mon avatar créé avec le logiciel *Image-anima*. Elle a ma tresse blonde et porte des vêtements semblables à ceux que j'avais lors de la réalisation de ma dernière conception à partir du logiciel. Ibéris me regarde, stupéfaite.

— Je me doutais bien que ton transfert avait fonctionné... remarque-t-elle.

— Peut-être, mais je ne sais plus dans quelle dimension, ni dans quelle direction... Voilà donc pourquoi Magnolia avait souvent des comportements réfléchis. J'ai fait peut-être mieux, peut-être pire! Je crois que c'est relié aux chocs électrostatiques. Jeanne n'a jamais apporté le tapis antistatique et je prenais régulièrement des chocs... Chaque fois, je me demandais si c'était l'ordinateur qui se chargeait de mon énergie ou bien si c'était moi qui l'accumulais...

Ibéris interrompt mes réflexions sur les transferts d'énergie.

— Ou bien grand-maman nous a donné un jeu ensorcelé... Attends que je te parle des différents personnages qu'elle y a introduits. J'ai appris bien des choses à leur sujet au centre d'émergence. Imagine-toi que pendant les temps libres, je ne pouvais rien faire d'autre que bricoler, jouer du piano. Le vieux piano était désaccordé et je m'en suis vite lassée. Puis, Jeanne m'a apporté des livres[9] de la bibliothèque de Thomas; heureu-

---

9. *Dubois, Pierre (1996),* La grande encyclopédie des fées, *Paris, Hoëbeke éditeur, 183 p.*

Lee, Alan et Brian Froud, Les fées, *Paris, éd. Albin Michel.*

sement qu'il a encore ses livres, celui-là! Alors, j'ai plongé dans la lecture et dans un monde surprenant, celui d'êtres fantastiques, issus d'histoires vraies, d'imagination ou de croyances populaires, des êtres qui vibrent dans une autre dimension, ceux dont Jeanne nous avait vaguement parlé à sa visite chez nous au début de l'automne: les élémentaux et les êtres mythologiques.

«Ce sont ceux-là que je vois partout autour de moi, comme s'ils étaient sortis du disque compact. Les gens du centre d'émergence de l'esprit croyaient tous que mes hallucinations étaient engendrées par la surutilisation du casque virtuel et du visionnement holographique, et que c'étaient les images générées par les jeux du MIROIR qui entretenaient mon *délire virtuel*: le delirium virtualis. Ils avaient tort!»

Je suis consternée par les propos d'Ibéris qui rejoignent mes propres chimères, celles que je n'osais croire. Je viens de comprendre autre chose.

— Ibéris, je crois que la conceptrice de FATA CREDO, notre belle grand-maman, les a ni plus ni moins ressuscités, au-delà des âges, au-delà du temps, les intégrant dans une autre mémoire, électronique celle-là, imperturbable. Souviens-toi, Jeanne voulait les immortaliser, les rendre éternels pour ne pas qu'ils tombent dans l'oubli... Je crois bien que l'énergie électrique a fait triompher leur esprit sur la matière et que je les ai réveillés. Grâce à moi, ils ont trouvé comment basculer d'une réalité à l'autre par ce transfert d'énergie.

— Et comment? Peux-tu me le dire?

— Bon... comme cet ordinateur n'a pas de système antistatique, les chocs électrostatiques que l'on prend sur l'appareil leur fournissent l'énergie nécessaire pour les faire traverser dans notre monde, leur donner une forme d'existence. À partir de cet instant, ils expérimentent sur l'écran le propre résultat de ton imagination. Inversement, ils reproduisent dans la vie les épreuves que l'on a traversées dans le jeu. Ils cherchent une façon de perdurer, de se manifester, d'exister... *Ils veulent jouer avec les enfants!* Et ils ont enlevé Circée.

— S'ils sont issus du monde virtuel, où donc les ravisseurs auraient-ils emmené notre sœur? Et comment peut-on se rendre dans cet autre monde? Sont-ils des êtres holographiques? Les visions qui viennent me hanter sont impalpables comme des hologrammes! Edgar et Olga ne sont pas des hologrammes, ils sont en chair et en os, tu me l'as confirmé! Cela tient du délire!

— Du delirium virtualis...

— Pourquoi auraient-ils volé une petite fille? s'interroge Ibéris.

— C'est ce que nous devons découvrir. Ces êtres ont peut-être de nombreuses qualités, mais ils sont dépourvus de cohérence. Si ma théorie est exacte et si nous arrivons à contrôler le jeu avec stratégie, ils nous livreront la réponse. Cette quête comporte une fin: celle de retrouver les parents du bébé. Allons-y!

À L'ORÉE DE LA FORÊT DES LAUMES
Le plus riche royaume: l'imagination

Sur un long trajet à travers la campagne, le Pisteur mène Savoyane-Magnolia dans le pays des Laumes. Celles-ci, assises dans un champ de fleurs, tissent des langes. Dames vaporeuses, elles sont d'humeur changeante comme le temps; on ne sait jamais quelles sont leurs intentions. Elles aiment donner des cadeaux magiques aux enfants, tenir compagnie aux personnes qui sombrent dans l'ennui.

Soudain, on entend le rire d'une enfant; un drôle de petit rire que j'ai déjà entendu dans cette même chambre. Du regard, je scrute la forêt à l'arrière-plan de l'écran, je cherche en vain Migno.

Dans la boîte de dialogues, j'inscris cette question: *Pourquoi avoir enlevé un bébé?*

Les belles dames, vêtues de robe et voile blanc, déposent leur métier et fredonnent cette berceuse:

Pour préserver les enfants
Des douleurs de la vie terrestre
Et leur faire croire au bonheur du rêve:
L'heure de l'innocence est si brève...

Jamais tu n'aurais dû l'abandonner
Car nous enveloppons les laissés-pour-compte
Dans les replis du temps arrêté,
Avec nous, leur âme vagabonde.

Ils trouvent ainsi réponse à toutes leurs questions
En contemplant le courant des rivières,
En écoutant le vent et sa magique partition,
En regardant scintiller l'or sur neige ou sur mer.

Alors, sortant de l'abondant feuillage du fond de l'écran, une enfant les rejoint: une belle petite blonde bouclée, les joues en demi-pêche, la bouche comme un jujube à la framboise. Circée! Une Circée électronique! Elle marche, court, danse avec les Laumes! Circée aurait été aspirée dans l'ordinateur! Le chien Pistou m'indiquait donc une bonne piste. Les Laumes se remettent à chanter.

Dans ta quête, ne peux-tu pas voir
Qu'au-delà des territoires matériels,
L'âme l'emporte sur le savoir?
Notre Royaume accueillera toujours les mortels.

Sortie du tableau.

Pendant que le dernier message s'imprime, une colère soudaine m'envahit et je crie:

— Je veux que Circée revienne avant maman!

J'ai juste envie de pulvériser toutes ces créatures maléfiques qui ont enlevé Circée. Je voudrais leur induire un choc si brutal que tous leurs enchantements soient dissous. Je m'éloigne de quelques pas de l'ordinateur et frotte mes pieds sur le tapis. Il doit bien y avoir un moyen pour rétablir l'équilibre des forces de l'électricité statique entre ce côté de l'écran et l'autre. Imperceptiblement, les charges électriques montent jusqu'à mes cheveux. J'approche alors la main du boîtier principal de l'ordinateur. Le choc qui s'ensuit fait voler la poussière qui recouvre le filage. En une fraction de seconde, un vif courant traverse mon système nerveux. J'ai mal. Je crie. Il se produit comme un échange de courants, puis un retour à la terre.

Dans l'énervement, nous n'avons pas eu connaissance que notre père était revenu à la maison. Distrait et préoccupé, il avait oublié sa mallette. Il entend sûrement mon cri car il entre en coup de vent dans la chambre. Il se fâche en nous voyant installées toutes deux devant l'ordinateur. Son tempérament habituellement pacifique éclate alors dans une colère aussi soudaine que son apparition.

— À quoi jouez-vous donc? Savo, ne sais-tu pas qu'Ibéris ne doit toucher aucun ordinateur? Je t'avais pourtant avertie! En plus, je viens d'apprendre d'un certain monsieur Edgar Lévesque que tu as caché une botte ayant appartenu à Circée, une botte qu'elle portait lorsqu'elle a été enlevée. Comment se fait-il que tu aies cette botte? Que s'est-il passé au juste? As-tu caché une partie de la vérité?

Ibéris se mure dans le silence. Il faut que je tienne tête à papa toute seule.

— Ce n'est pas ma faute! C'est le jeu de grand-maman: il contient la solution pour retrouver Circée. Elle est dans le jeu. Regarde, elle est là, dans l'écran. Nous sommes si près du but! Il ne faut pas nous en empêcher!

Trois paires d'yeux se tournent vers l'écran... un écran vide, éteint.

— Sottise! Folie! Ça y est, vous êtes malades toutes les deux! Savoyane, l'écran est éteint, l'appareil n'est même pas en fonction!

— Mais nous l'avons allumé il y a tout juste quelques minutes...

J'implore papa de vérifier avec nous. Nous rallumons l'ordinateur et tentons de remettre le jeu en marche. Rien ne va plus. Les messages suivants apparaissent à l'écran: «Aucun fichier trouvé, commande invalide. Reprise – Abandon – Échec.» Après vérification du contenu du disque rigide et du CD-Rom, papa constate que les espaces sont libres, il n'y a rien, absolument rien sur le support magnétique. Les bras m'en tombent... J'aurais traversé des tableaux qui n'existent pas, à partir de fichiers vides! Je serais donc, moi aussi, atteinte du delirium virtualis.

Chapitre 12
Au pays d'Alice

Papa sort de la chambre. Ouf! Ibéris et moi, on respire un peu. Si peu en fait, le temps d'un soupir, car les pas de papa se rapprochent de façon inquiétante. Un pas lourd, déterminé, fatal... Lorsqu'il fait irruption dans la chambre, armé d'un pied de biche brandi haut, Ibéris rampe jusqu'à moi et se blottit contre mon ventre. Comment peut-elle imaginer que papa en veuille à nos personnes? Moi, je le sais, papa ne s'attaquerait même pas à une mouche... Bogue! Bzzz! Bang! Recroquevillée sur Ibéris, les yeux fermés, les bruits qui suivent sont une cacophonie métallique, électrique, fracassante. J'ouvre un œil. Lorsque le pied de biche percute le tube écran, l'ordinateur expire dans les éclats de verre et d'étincelles. Mille feux follets s'en échappent.

— Voilà, dit papa, c'en est fini! Fini à jamais de cette génération d'ordinateurs aussi! Finie la source de vos problèmes!

Où sont passés maintenant les êtres qui habitaient l'ordinateur? Et Circée? Il ne fallait pas faire confiance même aux gens qui nous aiment le plus, me disait Ibéris; même en Edgar, même pas en papa. Lui et moi échangeons un regard, le sien plein de colère, le mien plein de stupéfaction. Sur mes genoux, Ibéris pleure.

— Marie-Laurence revient demain. Il ne faut

pas la perturber et elle ne doit rien savoir de cette scène. Allez! On ramasse ce tas de ferraille! Et après, Savo, tu me dis la vérité, toute la vérité!

J'ai les yeux embués et un gros nœud dans la gorge. La tristesse se roule en boule dans mon estomac, tourne et retourne sous ces phrases: pas le droit de pleurer... dire la vérité... pas le droit de pleurer... dire la vérité... L'alarme du vidéophone interrompt cette ronde. Nos trois têtes se soulèvent d'un coup, papa court répondre. Il revient bientôt nous avertir qu'il doit se rendre immédiatement au service de police: les enquêteurs ont découvert un édifice où étaient gardés prisonniers des enfants. Dix enfants vivants ont été retrouvés. Papa doit participer à une séance d'identification.

❧

À 22 heures, il n'est toujours pas rentré. J'ai peur de son retour, peur de lui raconter que l'automne dernier, j'ai laissé ma petite sœur prise dans la neige, sa botte coincée, pendant que j'allais contempler un oiseau. J'ai peur aussi du retour de maman. Disparaître, je préférerais disparaître à jamais plutôt que de les affronter. La peur monte de sous mon lit et je suis incapable d'attendre seule. Je dépose les figurines de Circée et le dragon sur le module de la coiffeuse. Je n'en peux plus. J'invite alors Ibéris à venir coucher dans ma chambre. J'allume la lampe de la coiffeuse et nous nous asseyons au pied du lit, face

162

au triple miroir du meuble. Nous regardons le reflet de nos visages inquiets. Avons-nous vraiment tout inventé? Nos théories et nouveaux espoirs sont-ils anéantis?

Il se passe alors un curieux phénomène: les rayons de lumière de la lampe se réfléchissent sur le cristal de la petite boule que tient le dragon et se décomposent en un spectre aux couleurs de l'arc-en-ciel. Ces couleurs sont projetées dans le miroir du socle de la statuette puis dans le miroir latéral gauche de la coiffeuse, qui les renvoie à son tour dans le miroir de droite et les rayons colorés se multiplient et s'entrecroisent ainsi jusqu'à ce qu'ils convergent tous dans le miroir central.

Soudain, dans le creux de mon oreille ou au fond de ma tête s'élève une musique, trois couplets sans cesse répétés:

Pour nous permettre d'exister
Point n'est besoin de votre science,
Mieux vaut une prière formulée,
Serment, ferveur et croyance.

Notre Royaume peut être sauvé
Et vous sera rendue celle qui enchante
Si en échange vous donnez
Votre serment d'appartenance.

Où est la formule à prononcer?
L'origine globale ou le début de chaque fin?
Cette phrase pour tous est la clé
Qui sauvera l'innocence de l'humanité.

Ibéris me regarde et le mouvement de ses lèvres muettes articule les mots de la chanson avec le synchronisme des paroles que j'entends. Elle aussi perçoit donc ce message sortant... droit du miroir devant nous, cependant que du fond de la glace centrale, à travers la danse de la lumière, émergent des silhouettes chimériques: les personnages d'Elfirie précédés de la Glésine. Sa longue cape émeraude ondule de plus en plus fort, prenant l'aspect d'une grande tempête de vagues et, dans les replis ondoyants, elle cache sa troupe, les enveloppe et les ramène vers le creux du miroir: les Laumes, les Vieux Lutins, le Meunier, les Sylphides, le Pisteur, le Lèprechien, Dame Holle et tous les autres. En s'éloignant, elle soupire:

— *La dernière strophe était manquante, nous sommes venus vous la livrer... Il ne reste plus qu'à lui donner le point commun dont les autres ont hérité par la magie de l'écriture. Écrivez-la comme tout le reste a été écrit.*

Avant de disparaître complètement, elle répète le dernier couplet.

Où est la formule à prononcer?
L'origine globale ou le début de chaque fin?
Cette phrase pour tous est la clé
Qui sauvera l'innocence de l'humanité.

Elle s'adresse à Ibéris et à moi, c'est certain! Elle nous demande, par ce chant-message, un engagement... Que veulent ces personnages? Notre intégration dans le royaume d'Elfirie? Ou bien un serment, une simple phrase? Quelle est cette phrase, cette formule? *Où est la formule à prononcer? L'origine globale ou le début de chaque fin?* J'ai besoin de réfléchir. Si nous pouvions au moins avoir encore accès au jeu, je pourrais obtenir les indices que j'ai sans doute oubliés dans les tableaux. Le début de chaque *fin*! Ce sont sûrement les textes chantés à chaque sortie des tableaux.

— Ibéris, il reste une chance! Les textes-indices livrés chaque fois que je réussissais un tableau. Je les ai imprimés, ils sont quelque part dans mon cahier. Je vais y ajouter celui que vient de nous réciter la Glésine.

De mémoire, j'inscris sur un bout de papier le couplet livré par la dame verte et l'ajoute aux pages déjà existantes.

Nous regardons les textes. Ils nous semblent plus précieux encore que les vers du grand Nostradamus, personnage célèbre du XVIe siècle. À la manière des chercheurs qui se sont penchés sur les textes des Centuries astrologiques de ce mage, nous tentons de remettre en ordre chronologique les quatrains. Le résultat donne un poème décousu livrant, dans l'ensemble, des messages philosophiques, des valeurs morales et des façons de vivre pour édifier l'âme, contribuer au développement de soi.

F olie! Ne laisse jamais la peur te submerger,
L'émotion coupera les ailes de ta pensée.
Tant que tu n'auras pas maîtrisé la situation
Te reviendront les affreuses visions.

A -t-on réussi à tuer la vérité par les flammes
Ou, par des bûchers, avoir raison des sorcières?
Jamais, puisque la vérité est un feu qui dévore l'âme,
La rongeant sans cesse par sa fascinante lumière.

T outes naissances et fins aboutissent au Trou noir
Invisible et si dense qu'il absorbe la matière.
Violente antithèse, le chemin le plus long te mène au miroir
Qui te révélera ton reflet, ta propre lumière.

A trop vouloir te montrer le monde,
Les grands usurperont ton propre sens de Voir.
Comment peuvent-ils t'apprendre les réalités profondes
D'un univers auquel ils ont cessé de croire?

C ombien de fois, sur le parcours,
Faut-il rebrousser chemin
Pour revenir à ce carrefour,
Sauver celui qui quémande du pain?

R ien qu'avec le vent qui gonfle ta voile,
Rien qu'avec le courant de la rivière,
L'inspiration colorera la toile,
Au loin, la paresse pourra se taire,

Et celui qui te précède sur le sentier
Connaît souvent mieux les obstacles.
Son expérience pourra te guider
Ou te perdre comme un faux oracle.

Dans ta quête, ne peux-tu pas voir
Qu'au-delà des territoires matériels,
L'âme l'emporte sur le savoir?
Notre Royaume accueillera toujours les mortels.

Où est la formule à prononcer?
L'origine globale ou le début de chaque fin?
Cette phrase pour tous est la clé
Qui sauvera l'innocence de l'humanité.

Ibéris écoute la lecture de ce poème en patch-work et me demande de reprendre à partir du début. Après quatre lectures, j'abaisse les feuillets, perplexe:

— Il n'y a aucune cohérence, je ne vois aucun lien... Je n'allume pas.

— Tu as raison, mais tu as dit toi-même que ces êtres n'étaient pas doués de cohérence! Peut-être qu'on essaie d'être trop rationnelles, qu'on cherche ce qui nous crève les yeux. Essayons maintenant de nous attarder à la forme plutôt qu'au fond du poème lui-même... L'origine globale ou le début de chaque fin. Regarde... si on considère que chaque quatrain est la fin d'un tableau du jeu, alors le début de chaque fin, ce ne serait que le premier vers...

Alors, nous voilà toutes les deux à retranscrire les premiers vers de chaque quatrain. On les lit et relit à haute voix, rien ne ressort là non plus. De même, les premiers mots comme étant le début de chaque fin écrits bout à bout donnent une phrase incompréhensible. On essaie ensuite de la lire à l'envers: fiasco!

— Ne prenons que les premières lettres de chaque paragraphe, dis-je. Regarde, celles qui sont en forme de lettrine... Ne serait-ce pas là le point commun dont les lettres ont hérité par la magie de l'écriture... la liaison entre les paragraphes finalement. Il manque le «O» du dernier quatrain. Ajoutons-le!

Et voici ce que nous obtenons, on le crie presque, simultanément:

— F-A-T-A-C-R-E-D-O!

— C'est le nom du jeu! On le connaît, le nom du jeu! Pas besoin de faire tant d'exercices pour le savoir. Nous sommes revenues au point d'origine, me dit Ibéris, fort déçue.

— Attends. C'est l'origine globale... le titre de la quête. J'ai toujours cru que c'était le nom d'une ville ou d'un pays imaginaire... Qu'est-ce que ça veut dire au juste? Jeanne le sait sûrement, je communique avec elle tout de suite.

Je n'obtiens pas de réponse chez nos grands-parents, probablement endormis à l'heure qu'il est.

— Il faut trouver nous-mêmes... Si ces lettres composent la formule à prononcer, je veux bien chanter, crier cette phrase encore et encore, tant qu'on me le demandera si c'est pour retrouver Circée, mais j'en ignore le sens. Alors, on s'engage à quoi si on la prononce?

— Suis-moi, je sais où papa cache un double de la salle de projection. Après tout, nous n'avons plus rien à perdre. Allons consulter le *miroir*, il a réponse à tout.

Nos recherches dans les dictionnaires du *miroir* nous révèlent que notre formule est composée de deux mots latins, une langue morte datant de l'Antiquité, au temps de l'Empire romain.

FATA: Déesses des destinées, fées.
CREDO: Je crois.

L'expression devient une sorte de prière, un engagement, un acte de foi... FATA CREDO: *Je crois aux fées,* en leurs pouvoirs, leur magie, leur influence. Comme si croire en ces êtres éthérés pouvait leur permettre d'exister; comme si notre foi pouvait nous rendre notre sœur.

Avec les gestes précis d'un cérémonial, je dispose sur mon lit les effets de Circée: la botte rouge, les figurines, le dragon. J'invite Ibéris à s'agenouiller près de moi, au pied du lit. Dans un grand sérieux, elle étend, comme moi, les bras en croix; puis, avec conviction et ferveur, monte vers un monde qui, je l'espère, existe, une phrase jusque-là jamais prononcée lors du rituel de la demi-présence; le FATA CREDO est répété maintes et maintes fois, sur tous les tons, jusqu'à ce que nous tombions de sommeil, les bras engourdis d'avoir tenu la position au-delà de nos capacités.

Chapitre 13
Entre Ibéris et moi

Le matin, Ibéris exagère! Elle prend toute la place dans le lit. Mon corps, poussé à la limite, est perché en suspension sur l'angle du matelas. Ma bouche pâteuse arrive à prononcer faiblement:

— Tasse-toi, Bouboule, je vais tomber!

Toujours lovée chaleureusement dans mon dos, elle bouge d'un millimètre à peine. Je remue en maugréant, une manœuvre vaine. J'articule plus clair, plus fort:

— Ibéris, tu prends tout le lit!

Alors, elle me répond, mais sa voix provient de l'autre côté du lit, de plus loin que je ne l'aurais estimé.

— C'est toi qui prends toute la place! J'ai tellement mal dormi! Tu étais toujours collée dans mon dos. Heureusement qu'on ne dormait pas face à face, j'aurais respiré ton haleine!

Alors, je constate que la personne dans mon dos n'est pas Ibéris... Je me détourne rapidement, en même temps qu'Ibéris.

Là, entre nous, il y a une petite blonde, bouclée, des joues en demi-pêche et la bouche comme un jujube aux framboises. Un peu plus grande, les vêtements élimés, défaits. Au pied gauche, elle porte une trop petite botte de cuir rouge, éculée.

— CIRCÉE!

Elle ouvre les yeux et sourit jusqu'aux oreilles.

171

Elle nous enlace, nous caresse les cheveux. Elle joue avec ma tresse. S'il vous plaît, Déesses des destinées, faites que ce soit pour l'éternité!

On rit, on pleure, on forme une siamoise à trois têtes tellement on se tient serrées. Avec Circée, nul besoin de mots, tout est émotion.

Nous nous assurons qu'elle a bien tous ses morceaux. Cet examen la chatouille, elle se tortille et rit. Non seulement elle a tous ses morceaux, mais, surprise! elle en a deux en supplément! En effet, dans son dos, un peu plus bas que la nuque, deux petites bosses rougeâtres, comme des framboises collées à la peau, font saillie sur les omoplates. On dirait l'embryon de nouveaux membres!

— Qu'est-ce qu'ils lui ont fait là-bas? dis-je à Ibéris, consternée...

Puis, le silence est brisé comme par une envolée d'oies blanches, une musique céleste, par la plus belle petite voix que j'ai entendue:

— Ils ont dit que c'était un cadeau, seulement pour les petites fées...

Circée a parlé! Elle se retourne et ouvre les mains dans lesquelles elle retient ses fameuses figurines et, toujours aussi candidement, elle ajoute:

— Savo, regarde, z'ai trouvé les bonzommes dans ton lit. Ze voulais jouer avec toi, mais y manque le bébé.

(À suivre dans *Circée l'enchanteresse*)

Table des matières

DISTRIBUTEURS EXCLUSIFS

Distributeur pour le Canada et les États-Unis
LES MESSAGERIES ADP
MONTRÉAL (Canada)
Téléphone: (514) 523-1182 ou 1 800 361-4806
Télécopieur: (514) 521-4434

Distributeur pour la France et les autres pays
HISTOIRE ET DOCUMENTS
CHENNEVIÈRES-SUR-MARNE (France)
Téléphone: (01) 45 76 77 41
Télécopieur: (01) 45 93 34 70

Distributeur pour la Suisse
TRANSAT S.A.
GENÈVE
Téléphone: 022/342 77 40
Télécopieur: 022/343 46 46

Dépôts légaux
3e trimestre 1998
Bibliothèque nationale du Québec
Bibliothèque nationale du Canada